美女入門
PART 2
林真理子
マガジンハウス

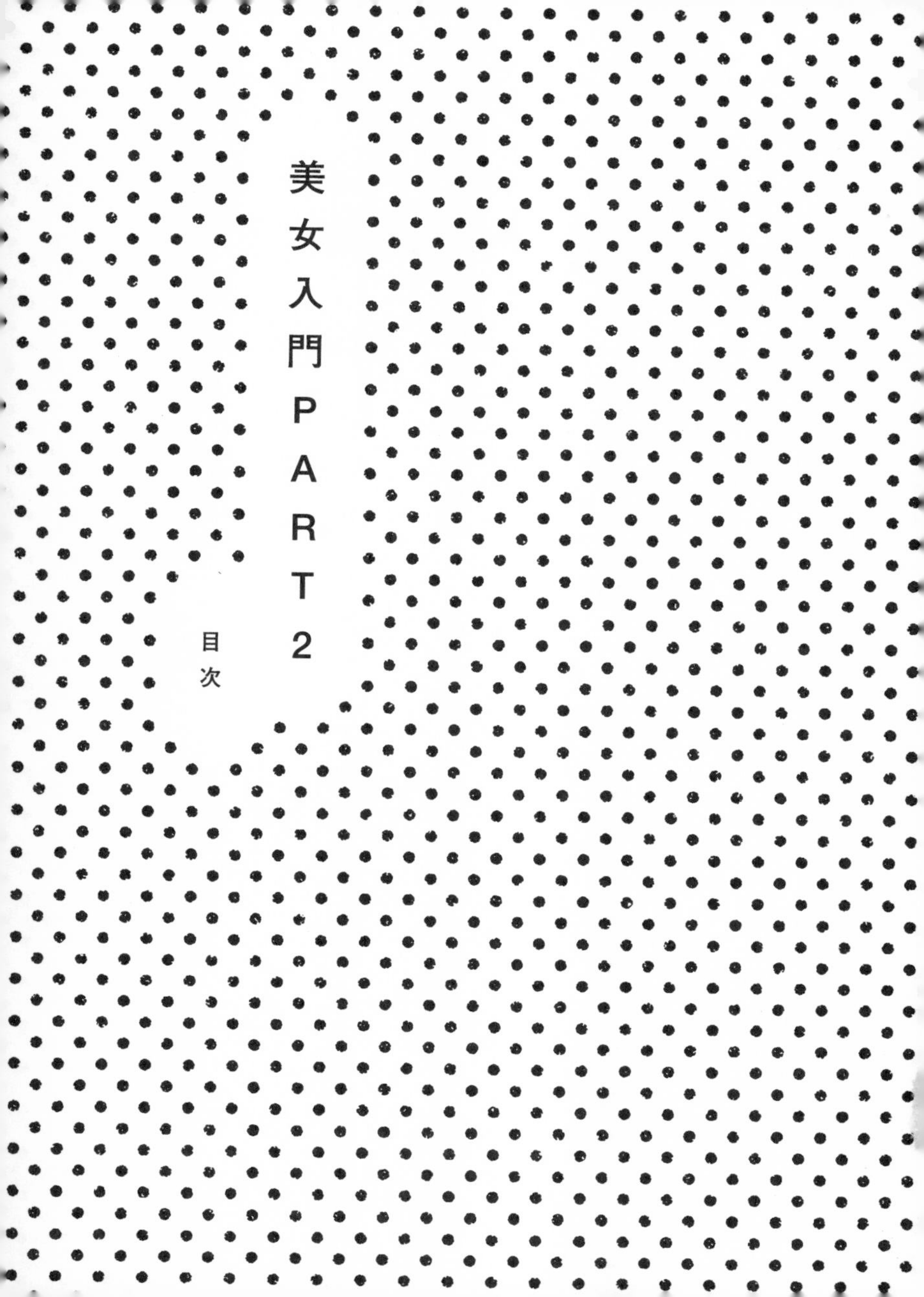

美女入門PART2

目次

美女のススメ

美女への道

美女、実践中

美女入門

イラスト＝著者

美女のススメ

魔性の女のトラウマ

最近、某出版社のナカセと仲がよい。女性であるから本来はナカセさんと呼ぶべきであろうが、まわりの人は皆、ナカセと呼び捨てである。四年ぐらい前、暮れの忘年会をしようという時、誰かが、

「ハヤシさん、〝大助・花子〟の花子にそっくりのおもしろい女がいるから、呼びましょうよ」

と連れてきたのである。確かに〝大助・花子〟の花子にそっくりであるが、不二家のペコちゃんにもよく似ている。とにかくよく飲み、よく喋る。ひとりでつっ込み、ひとりでボケるというワンマン漫才をやり、皆を笑いの渦に巻き込む。そして酔っぱらった揚げ句、男の人の首を絞めるという技にもおよんだ。

こういうことは本人がものすごく頭がよく、かつチャーミングでなくては許されないことで

ある。ナカセが可愛くて大変な人気者であることは認めるが、まあ三枚目であることは間違いない。が、彼女は私の知っている中でいちばんモテる女性なのである。よく勘違いしている女が多いが、宴会要員として面白がられるのと、本当に口説かれるのとは人種が違う。なんとナカセは、後者の方だったのである！

うんと若い時に結婚し、離婚している（相手はもの凄いハンサムだったそうだ）。その後も恋愛を繰り返し、今は十九歳年上の某有名作家と同棲中である。

私の知っている限り、女の編集者と作家の組み合わせというのは非常に少ない。男の作家はおミズ系、ちょっと売れている人は芸能人などが相手にしてくれるため、わざわざめんどくさい仕事仲間に手を出したりはしないものだ。女の編集者は、せいぜいが遊び相手にされるのが関の山だ。ところがナカセは、ハードボイルド系の、酸いも甘いも嚙み分けた渋い男の心をとりこにしたのである。もう相手は彼女にメロメロのようだ。これが並の女に出来ることであろうか。我々は敵意を込めてナカセのことを、

「魔性の女」

と呼び讃えているのである。

ここまで読んで、お気づきの方もいるであろう。そお、彼女こそ「美女入門」（ＰＡＲＴ１）に登場した、西麻布でキスをした三枚目の女である。私があれを書いた後、まわりで大反響があった。すぐにみんな、ナカセと気づいたようなのである。私は彼女に聞いた。

「ねえ、西麻布で初めて今の彼とキスしたそうだけど、あれってさ、交差点の焼肉屋『十々』の前でしょう」

「ハヤシさんって、ひどい」

彼女は、ほっぺたをふくらませた。こういう時は、ペコちゃんそっくりになる。

「私たちがキスをしたのは、焼肉屋の前じゃなくて『中国飯店』の前です！」

失礼しました。ところでつい先日のこと、このナカセが仲立ちしてくれて、私は「ビッグコミックスピリッツ」の「おごってジャンケン隊」に出ることになった。マンガ家の現代洋子さんと一緒に食事をし、その後は皆でジャンケンをする。そして負けた人が払うという人気連載だ。この一部始終は、現代さんが漫画にしてくれる。

当日レストランに行って、驚いた。ナカセは胸もあらわなワンピースを着ているじゃないか。くっきりと〝Y〟の字が出来ている。

「だって漫画に描いてもらう時、私の豊満なこの胸をちゃんと入れてもらいたいんだもん」

おい、おい、主役は私だよ……。

皆で大いに食べ、大いに飲んでいる時、ナカセがしみじみと言った。

「あのね、女の子のメンタリティって、十五歳の時、どういうポジションにいたかで決まってしまうんですって」

どれだけ可愛いか、どれだけモテたか、どれだけクラスの中心にいたかで、彼女のその後の女としての一生は決まってしまうんだそうだ。

「大人になってどんなにモテたって、そのトラウマを癒すことは出来ないんですよねぇ……」

おい、おい、悲しい話じゃないか、泣けてくる。実はこの私も、つい先日ある男の人からズバリこう言われて傷ついたばかりだ。

「ハヤシさんって、子どもの頃モテなかったでしょう」

「どうして、そんなこと言うんですか」

キッとなる私。

「だって、ハヤシさんの気の遣い方とか、人との接し方見てるとすぐにわかりますよ」

ぐっ、ぐっ、口惜しい。確かに私の十五歳というとモテませんでした。いくら大人になってモテ出したといっても（?）、過去を塗り替えることは出来ないのね。

「いいえ、そんなことはない。この世の中、言ったもんが勝ちですからね」

とナカセ。

「死人に口なし、じゃなかった、田舎者に口なしですよ。ハヤシさんは子どもの時から自分はモテまくったと書けばいいんです。山梨の同級生が、田舎でどーたらこーたら文句言ったって、どうせ東京までは届きゃしないんですよ」

なるほどと思ったが、もう遅いような気もする。が、ひょっとすると現在〝魔性の女〟ナカセも、心にトラウマを持っているのではないかとふと思った。

衣裳もちの着る服貧乏

もう半年も前のことになるであろうか。
若乃花の奉納相撲を見に、編集者のＹ川さんと明治神宮へ出かけたことがある。Ｙ川さんはファッション雑誌の女王とも呼ばれ、そのおしゃれのセンスと知識といったら凄い。

私もＹ川さんの前に出る時はなるべく頑張るようにしているのであるが、その日は朝から雨がしょぼしょぼ降っていた。雨の中、神宮の砂利道を歩くことがわかっていたので、私はうんとボロい靴を選んだ。もう長いこと履いて、そろそろ〝引退〟かなあと思っていた靴だ。この際、最後のご奉公をしてもらおう。

ところがＹ川さんの足元を見て、私はそれこそびっくりした。私と同じようにいちばん悪条件なところを歩かなければならないのに、Ｙ川さんはエルメスの革の黒いスニーカーを履いて

これが二年ぶりに再会したヴァレンティノだ！

いたのである。しかも新品だ。私はつくづく反省した。

本当におしゃれな人は、雨だからこそピカピカの靴を履くという。どんな時にも手を抜いたり、だらしない格好はしない。これこそ、女にとっていちばん大切なことであろう。

そんなある日、テツオから電話がかかってきた。

「ジル・サンダーの新作スニーカーがすっごく可愛いから、買っといた方がいいよ」

普段は私のことを小馬鹿にしている彼であるが、こうしてこまめに情報をくれるのは有難い。

「白と黒の二色があるけど、両方予約しといてあげようか」

「サンキュー、よろしくね」

こういう時は、素直に礼を言う私である。そしてそのスニーカーを昨日、紀尾井町のショップまで取りに行ってきた。ついでにニットを二枚買う。今年の冬は、スポーティカジュアルという感じにしようかナと考えた。

ジル・サンダーのニットはとても可愛い。白くざっくりしたニットにグレイのスカートを組み合わせて、タイツとスニーカーでお出かけ。とっても素敵な私になるはずだったんだけど、なんかヘンだ。白いニットは私が着ると、とても太って見え、いっきにオバさん体型となっていく。

そこへいつものように、テツオがやってきた。

「何だか今日は、もっさりしてんなあ……」

「何言ってんのよ」

私は怒鳴った。

「これ、ジル・サンダーよ。ン万円もしたんだから。あんたの一ヶ月分の飲み代よ」

ところが、これが彼にバカ受けしたのである。ゲラゲラ笑いだして、しばらく止まらない。

「やあ、久しぶりのヒット、ヒット」

やたら喜んでいる。

「ジル・サンダーでも着る人によって、こんなになっちゃうんだなあ。いやあ、いい勉強させてもらったよ」

私はかなりがっくりきて、それからそのニットを二度と着ていない。こういうものは、どこへ行くか。前にお話ししたと思うけれども、親戚のコやまわりの友人たちのものになるのである。

そもそも私は、自分の買ったものをちゃんと把握出来ていない。そしてすぐに人にあげてしまうことが多いので、ほとんど記憶にも残っていないのだ。

つい先日のこと、担当の若い女性編集者が、それはそれは可愛いブーツを履いていた。

「あら、それ素敵ねえ」

「やーだ、これ、ハヤシさんからもらったものですよ。ミラノのプラダで買ったけれど、やっぱりきついからって一回履いたきりのを私にくれたんです」

「あ、そうなの」

そうか、こんなところで活躍していたのね。懐かしいような淋しいような気分。私とそのブーツって、なんてはかない縁だったんだろうか。私の思い出にもならないうちに、人さまのものになっていたのね。

でも彼女はすごく喜んでいる。

「プラダのブーツなんて、ハヤシさんからもらわなきゃ、ずうっと私には買えませんでしたよ」

彼女はとてもおしゃれが好きな賢い女のコで、仕事が早く終わったりすると必ず私にこう言うのだ。

「ねえ、ハヤシさん、どこか買い物に行きませんか」

彼女が言うには、外国ブランドの店というのはとても入りづらい。

「だけど、ハヤシさんと一緒なら平気です。行ったことのない店でもじっくりリサーチ出来ます」

そこで最新の流行をじっくり見る。そしてその後、青山や表参道の表通りにあるショップに入る。ここでは流行を取り入れながらも、若い人向きのぐっと安いものを売っているのだ。

「ハヤシさんのおかげで知識を仕入れて、私は五分の一ぐらいの値段のものを買います」

と彼女は言った。私も本当に人の役に立っているのだなあとつくづく思う。が、お役に立っている私の方が何かいつもさえない格好で、ご恩を感じている彼女の方がずっと流行の先端でカッコいいぞ。単に若さやスタイルの問題だけじゃない。私っていつも損な役回りをしているような気がする。貯金だってまるっきりないしさあ……。

花には水、女にはお世辞

世の中には、はっきりとした基準がある。動かすことの出来ない断固たる基準だ。それは何かというと、美人と自慢話の関係である。

例えば中山美穂さんのような美女が、

「私はモテるの。私って、男が寄ってきて大変なのよ」

と言ったとしても、誰が咎めることがあろうか。ああ、そうだろうなあと、みんなおとなしく納得するはずだ。が、許せないのは、

「このレベルの女が、なぜ!!」

というようなのが、自分はモテると口にし、それがまんざら嘘ではないということであろうか。

女の物書きの中にもいる。思えば私はずうっと謙遜の人生であった。自慢したいことだっていっぱいあったのに、分をわきまえて決して口にしなかった。ところがどうであろう、びっくりするような容姿の女の物書きが、

「最近、私はモテる」

なんて、ぬけぬけと書いているじゃないか。

今までの私の人生を返して欲しい！　と口惜し涙にくれることが、最近多い。

まあ、私憤はこのくらいにするとしても、私の友人の中に、このテの女がいる。どう見てもどうってことのない女だと思うのだが、男の人に言わせると「かわいい」とか「チャーミング」なんだそうだ。

私の男友だちも彼女に憧れるひとりで、彼女にこう尋ねたそうだ。

「○○さんって、子どもの頃からモテたでしょう」

「ええ、凄かったわね」

と彼女。

「ずうっと、順番待ちしてもらっていたわね」

私は思う。こういう風にぬけぬけと言えるところが、モテるコツなのだ。

この年になってわかったことであるが、たいていの男にはM的気質が備わっている。特に最近の若いコはそうだ。イジメられたい、言葉でなじられたい、という妄想が強いのだ。ここで

気が強くて、性格のちょっと変わった女のコの登場になる。モテる女の傾向を見ていると、他人に決して気を遣わない。お金も決して遣わない、この二つに絞られる。よって相手の男が気とお金を遣うことになるのであるが、これは女に対する執着を募らせる結果になるようだ。私のように、男と食事をするたびに、

「あのー、割りカンにしてください。そんなの悪いからー」

などというのは、すぐに男にナメられる。

「この女、モテなかったな。男に金を遣ってもらったことがないな」

と過去を見抜かれるのだ。

今でも思い出すことがある。大人になってからのことであるが、当時つき合っていた男性が、

「何か買ってやるよ」

と宝石店に連れていってくれようとしたのだ。あの時は本当にあせった。彼もそんな年ではなかったから、買ってくれるといっても安物の指輪か何かだったろう。が、私の中で、

「そ、そ、そんな大それたこと」

という声がし、思わず後ずさりしてしまったのである。私は本当にバカだった。どうせ別れることがわかっていたんだったら、指輪の一個か二個買ってもらえばよかった。

男の財布のことを心配するような女は、ずうっとモテないままだ。うんと我儘で、うんと驕慢でしかも嫌われない女になるには、長年の訓練が必要なのである。しかし、これは何とむず

かしいことであろうか。一週間や十日で驕慢さは身につくものではないのである。ここはひたすら自己トレーニングしてみようではないか。まず朝起きてベッドの中で(起きてってもいいけど)、

「私はモテる。私はすっごくモテる女なのよ」

と繰り返し、自分に言い聞かせる。

「二年前のあれはフラれたんじゃないわよ。私のゴージャスさと私のオーラに、相手の男がついてこれなかったのよ」

とマイナスの過去はひたすらプラスに変える。そして恋人とのハイライトシーンだけを思い出そう。迫ってこられた時のこと、愛していると言われた時のこと、初めてそういうことをした時のこと。思い出を上手に編集していけば、誰だってモテる女の過去を持つことが出来る。

後は、誉め言葉専用の男をひとり確保出来たら最高だ。つまり白雪姫のママの、鏡の役ですね。

「○○ちゃんって、モテると思うよ」

「君って、男がほっとかないタイプだもんね」

こういう言葉をしょっちゅう浴びせてもらうわけだ。花には水、女にはお世辞。するとどうだろう、たちまちいきいきと素敵な女になることが出来る。そしてもしそういう話題になった時は、はっきりとこう言おう。

「ええ、私はモテたわよ。今でもモテると思うわ」

が、女の敵をわざわざつくることはないので、こうつけ加える。

「私は美人でもスタイルがいいわけでもないけど、なぜだか昔からモテるの。いろいろ努力しているせいかしら」

あくまでも毅然としてこれを言う。すると女たちも、一目置くようになる。そして本当に「モテるらしい」という噂が立つのだ。男はこういう噂に弱く、アリンコのように寄ってくる。こうなったら、しめたもんだ。

大きなお世話

今年流行のロングジャケットを買った。色はグレイで、さらっと羽織るとなかなかいい感じ。ところで、ここで問題が生じた。私はロングジャケットを着ているつもりなのであるが、世間はそう受け取ってくれないのである。

レストランへ行くたびに、

「コートをお預かりします」

と言われ、私は憤慨しているのである。コートが、一枚仕立てでこんなに軽いもんであろうか、よく見て欲しい。

また、私は時々エルメスのバーキンを使用する。自慢じゃないけど、イヤミったらしいことを言うとバーキンは三個持っている（ケリーは別よ）。こういうのは大事に大事に使うのではなく、無造作に持つのがコツだ。よって私は、留め金をかけない。わざとだらっとさせている。するとすれ違うオバさんが、五人に一人ぐらいの確率で必ずこう注意してくれる。

「ちょっとォ、バッグの口が開いてるわよ」

親切で言ってくれているのはわかるけれども、大きなお世話である。

が、人には注意出来ることと出来ないことがあるというのを、この頃知った。本当に悲惨な場合、人は口をつぐんでしまうものなのね。ついこのあいだまで、私は冬だろうとスリップをつけなかった。ニットの下も、もちろんブラだけだ。

踊りのお稽古に行くと、着替えの際、みんな下着姿になる。たいていスリップを着ていたり、中には矯正下着をつけている人もいる。私は何もつけていないので、よく驚かれた。

「男の人と会うとき以外、スリップなんか着ないもんね」

とエバっていた私であるが、この二、三年は寒さには勝てずスリップを着るようになった。もちろん袖つきとかババ専用のやつではない。シルクでレースのいっぱいついたやつが、私のお気に入り。

ある時電車から降りた私は、ふと何気なく後ろに手をやり、真っ青になった。何かのはずみでスリップの裾がちゃんとしまわれていない。レースの部分がジャケットから見えているではないか。シミチョロというのは古い言い方であるが、チョロどころではなく、堂々とレースを一列見せていたらしい。

友人が慰めてくれた。

「この頃、いろんなデザイナーが、ジャケットやスカートの裾にレースをつけるじゃない。みんなあれだと思ったわよ。まさかスリップの裾をはみ出させている人が、電車に乗っていると は思わないいんじゃないの」

それにもし電車の中で、私にレースのことで注意してくれる人がいたら、私は殺意を抱いたに違いない。自分に対する恥ずかしさや嫌悪を他人に転嫁しようとする心の表れである。人に注意をしようとする時は、そのぐらいの覚悟がいる。それなのに皆はどうして、あのようにお気楽に、他人に何やかんやと言うんだろうか。特におしゃれやダイエットに関して、女友だちというのはかなり辛らつだ。

私は〝女ロバート・デ・ニーロ〟と呼ばれるぐらい、体重が変動する。十キロぐらいどうということもない。今から十年以上前、私がうんと太っていて、例の保険金殺人容疑のオバさんとそっくりの体型をしていた頃の話だ。仲のいい女友だちと温泉へ行った。そうしたら、彼女、何て言ったと思います?

「あんたさあ、もうちょっと痩せなさいよ。その体で、男の人に抱かれちゃいけないわよ」

私は当時恋人もいたので、その言葉にかなりむっとしてしまった。ものには言い方があるじゃないか。

私は気の弱さや人の良さが、すぐに見抜かれてしまうためか(?)、人にあれこれ言われることがとても多い。世の中に言いやすい人っているけれど、たぶんそれなのね。

うんとおしゃれな人や、センスのいい人にあれこれ言われるのはいい。ありがたい助言として聞いておく。が、むかーっとくるのは、私と同じレベルで思い込みの激しい女というやつである。こういうのに限って、人のものにケチをつけるから頭にくるぞ。

私が昨年ヒョウ柄のとてもカッコいいバッグを買った。すると彼女は、

「ヒョウ柄なんて、おミズの人が持つもんよ」

と言って、私をむっとさせた。彼女はコンサバ系のスーツが多く、私から言わせると典型的なキャリア金持ちオバさんファッションだ。こんなのに、流行のものがわかるわけないじゃないか。

また数年前のことになるが、私はラップコートを買った。前をだらっとさせるのが気に入った。色はキャメルで足首までの長さだ。そうしたら、私の秘書は何て言ったと思います?

「ニューヨークにいる、ショッピングバッグ・レディーみたい」

それどころかゴミの収集日に黒いビニール袋（当時）を持たせ、「ぴったり」と笑い転げたのである。こういうデリカシーのない人も悲しい。

ああ、人に文句を言われない強い女になりたいわ。ファッションもボディも完璧、私の持つものは女たちの憧れとなり、流行となるような女に。が、そんな女になれるはずもなく、それも淋しいかもしれない。私みたいなレベル、人が寄ってたかってあれこれ言い、何かしてくれようとするぐらいがいちばん得なのかもと、ひとり納得するのである。

選んだ男は、自分の鏡

この本が出る頃には、古いニュースになっているかもしれないが、今私を夢中にさせているのはマリアンの離婚である。毎朝、夢中でワイドショーに見入っている。

思えば十二年前、結婚した時から、私はずうっと彼女に興味を持っていたといってもいい。お人形みたいに可愛いタレントと、大金持ちのボンボンとの結婚は、当時絵に描いたようなバブリーな組み合わせであった。

東京の人は知っていると思うが、東京は西麻布に「キャンティ」の支店がある。私なんか敷居が高くてめったに行ったことはないが、テーブルの半分は芸能人という派手な店だ。ここの店の前を歩いていたら、誰かが、

「ほら、ここの上にマリアンのダンナの会社があるんだよ」

友だちのネコはマリアンと言います.
プリティよ

と教えてくれ、私が次から皆に教えてあげている。ゴルフ場や不動産会社を経営する会社で結構大きい。こんな東京の一等地に会社を持つぐらいだから、たいしたもんである。

ずうっと前、六本木に「ベルファーレ」がオープンした時、秋元康さんが見学に連れていってくれた。秋元さんと一緒だから、通されるところはもちろんＶＩＰルームである。業界の有名人っぽい人たちと、それはそれはキレイな女のコたちがいちゃついている。私と柴門ふみさんは、興味津々であたりを見渡した。

「やっぱりこういう時、マリアン夫婦なんか見たいよねー」

などと二人で言い合っていたら、本当にあちらからやってきて私たちは大喜びした。つまり何を言いたいかというとですね、あの頃、大金持ちと美人の組み合わせのマリアン夫婦は、東京の華やかな夜に欠かせない人たちだったということである。幸せそうに見えたし、カッコよかった。それなのに、ワイドショーで彼女は涙ながらに語る。

「淋しい結婚だった」

「彼の女性関係はひどい。親の言いなりの男だった」

言いたい気持ちはよくわかるが、おそらくテレビを見ている人たちは誰も彼女に同情しないはずだ。ましてや慰謝料が五億円、月々の養育費百五十万円を要求しているとあっては、シラけてしまう。

それに、彼女のダンナさんは、いかにも女性にモテそうである。大金持ちでまだ若く、甘い風貌をしていたら女性にモテないわけがない。タレントさんと結婚するぐらいだからそういう人脈も持っているだろうし、そういう世界が嫌いなはずはない。どうしてそういうことが、わからなかったのかなあ……などというのは赤の他人の見解で、本人は夫やその家族を自分の力で変えられることが出来ると思っていたのであろう。

まあ、そういうことは別にして、私は別れた男の悪口を言う女が嫌いである。

あれは、もの凄く女の値打ちを下げるものだ。私の若い友人の中には、

「彼にお金をさんざん貢がされた」

「私の友人とデキちゃった」

なんて得々と話すのがいて、私はびっくりしてしまう。あんたって、そんなヤクザまがいのレベルの低い男とつき合っていたのかと、叱りたくなってくるのである。

私なんか、男性に対して感謝の気持ちしかない。今でこそ多少チヤホヤしてくれる人もいるが、昔はただの田舎出のデブのネエちゃん。着るものだって、そりゃあひどかったはずだ。そんな私にとにかく愛情を与えてくれた人たちを、どうして恨むことが出来ようか。浮気されたり手ひどいフラれ方をしたとしても、今となってはいい思い出。

風のたよりで、彼のことを聞き、人に尋ねられれば、

「本当にいい人だったわ。本当にあの頃、私は好きだったの。でも私がフラれたんだけど」

と答える私は、何と大人の女なのでありましょう。すると友人がこう言う。

「あら、あっちの方は自分がハヤシさんにフラれたって言ってるけど」

まっ、何ていい男なんだろうと、私は目がしらが熱くなる。私はそういうところにミエを張らない女なのではっきり言うが、フラれたのは私の方なのだ。それなのに歳月がたつと彼は私のことを庇い、私を立ててくれる。私の男選びは間違っていなかったと、確信をさらに強くしたのである。

とまあ、こんなエラそうなことを言う私であるが、事件当時は猛り狂った。泣いて泣いて女友だちに電話をかけまくった。「サイテーの男」とののしったかもしれない。けれども若い女が別れた男の悪口を言うのは、まだ許される。かなり大目に見てもらえるはずだ。

私が嫌いなのは、結婚した男、しかも自分の生んだ子どもの父親を悪く言うというその根性である。結婚という選択は重い。恋人としてちょっとつき合う、などというのとはレベルが違う。女がそれまで生きてきた年月、知恵やありったけの美意識、その人の今までの金銭観や人生観が問われる作業である。夫の悪口を言いまくることは、そんな男を選んだ自分がいかに馬鹿か、天下に公表しているようなものだ。

「家族として自分が選んだ男は、自分自身である」

お金がなくても、エリートでなくても、誠実でやさしい男を夫にしたら、それは自分自身が誠実でやさしい人間だということだ、と思いたい。

女の足に歴史あり

ある時、私の友人がこう言った。

「アメリカ人とかヨーロッパの男と結婚する女ってさあ、顔はどんなにブスでも足はすごく綺麗よ。見てごらん」

確かにまわりを見渡してみると、外国人の奥さんになっている女性というのは、足がすらーっと伸びている。自分も外国暮らしを経験していて、外交官とか日本支社長夫人といったおハイソな生活をしている人ほど足が〝外人化〟している。ストッキングをはかず、こんがりと灼いているのが特徴だ。もちろんこういう女性たちは、顔もすごく綺麗です。

つい先日、週刊誌のグラビアを見ていた私は、思わず〝ヒェーッ〟と声を上げた。来年の各社のキャンペーンガールとなる若い女性五人が水着となっているのだが、その足の長いこと、

カッコいいことといったらない。膝から上も、膝から下もまっすぐで、しかも形が美しいのだ。日本の女のコの足もここまでになったのかと、私は感慨深いものがあった。

昔のことである。私はケニアにサファリツアーに行った。仲のいい女のコ五人でツアーに参加し、それはそれは楽しかった。奥地へ入り、毎日トラックに乗ってライオンや象を見に行くのである。野生の象を見るのなんか初めてで、私は珍しさいっぱいであった。望遠鏡を片手に、一日中動物をウォッチングしたものだ。

ところが象やライオンと同じぐらい、現地の人を驚かせ、目をひいたものがあった。それは私の足である。当時の私は、今よりもずうっとぽっちゃりしていて、足が太かった。色が白いから、ますますビッグに見える。アフリカの人々は、ご存知のとおり全くぜい肉のついていない足をしている。そういう彼らにとって、私の足は、私が象を見た以上の驚きだったようだ。よせばいいのに、私は旅行中ずうっとショートパンツをはいていた。ガイドのアフリカ人が私の足をよく見てるなあ、と感じていたのであるが、まさか彼が友人を連れてこようとは思ってもみなかった。

「見ろ、見ろ、この足」

とでもいうようなケニア語で喋りながら、皆で私の足を取り囲んだのである。中には、

「カラテ！　カラテ！」

などという単語を発する不届き者もいた。つまり日本の空手をやっているから、こんなに太

くなったんだろうと言っているのである。

乙女としては、かなり悲惨な状況である。怒り狂ってもいい。しかし私はケニアに対して、今でもいい印象を持ち続けている。それはなぜかというと、足は人々の目を見張らせる異形のものだったとしても、私の顔というのは典型的アフリカン・ビューティだったからである。向こうで絵ハガキを買ったところ、ケニア美人の一枚があり、友人たちは私にそっくりだとびっくりしたものである。かなり本気で、あんたなら牛何頭でも取り替えると言われた。日本に帰ってきてから何年か後、ケニア関係のパーティに出席したところ、あちらの外交官から、

「日本に来て二年、あなたのように美しい女性に会ったのは初めてだ……」

と言われたのも本当。友人から、世界にひとつ、そういう地域が存在しているって、心の慰めになるわよねえと、さんざんからかわれたものだ。

話が大きくそれてしまった。そのくらいぶっとい足をしている私は、着るものについてさまざまな工夫を凝らしてきた。まずスカート丈には頭を使った。どんなに流行しようとも〝皇室丈〟とでもいうのだろうか膝下のスカートははかない。あれは足がうんと太く見える。膝上のミニに同色のタイツというのが、私の長年のやり方だ。

恐怖なのは夏ですね。いい年をして、ソックスを履くのもはばかられる。肌色ストッキングも好きではないから、夏は裸足にパンツというパターンがいちばん多いかもしれない。ロングスカートに生足サンダルというのも時々するが、これは脱毛がうまくいったおかげである。

足のムダ毛には、本当に苦労してきた私。信じられぬような悲劇も多々ある。明日は男性と海へ行くという前の夜、真夜中に買ってきたワックスを使おうとした。普通こういう場合、使う前に説明書をちゃんと読むものである。が、万事にだらしない私がそれを拡げたのは、ワックスを火にかけて溶かし、足にべったり塗った後であった。

「塗ってから五分後、チューインガムの固さになった時、毛の方向に向かっていっきにはがしてください。固まる前にはがすよう、充分注意すること」

充分注意することといっても、私の足のワックスは、もはや石膏のようにカチンカチンに固まっている。押しても叩いても、ぴくりともしない。時計を見た。もはや午前三時。朝の七時に待ち合わせしているのに、どうしよう。涙が出た。死にたくなった。やがて考えた揚げ句、千枚どおしを探してきて足に突き刺した。少しヒビが入った。そこから指を入れて剝がす、というよりワックスを崩していく。毛穴から血がどっと噴き出し、その痛いこと、痛いこと。これに懲りてお金を貯めエステに通った結果、足の毛はようやくなくなった。

長年苦労を重ねたせいか、私の足はかなり細くなったみたい。女の足に歴史あり。顔と同じぐらい物語がひそんでいるのである。

冬の心がけ

デパートの商品券が、三万円分貯まった。

そんなわけで、新宿のデパートに買い物に出かけることにした。

ふだん私は、デパートにあまり行かない。なにしろ、家を出ると表参道であるからして、歩いて行くブティックやセレクトショップを利用している。こまごましたものは、紀ノ国屋とか商店街でこと足りる。

デパートが好きな人はオバさん、という固定観念がなんとはなしにこびりついているのは、偏見でありましょう。

それにしても、この三万円はすごく嬉しい。もちろん私はもっと高価な洋服をパッパッと買うこともあるけれど、カードを使ったりするよりも、もっとわくわくする。よく懸賞で、

「十万円、デパートでお買い物」

などという企画があるけれど、あの当選者の気分かしらん。

私がまず行ったところは、ホビー売場の手芸用品コーナーである。つい先日のこと、ひょんなことから編み物を始めた。編み物をするなんて、二十何年ぶりぐらいであろうか。その昔高校生の時、好きだった男の子からラグビーの腰紐を編んでくれといわれたことがある。ラグビーのパンツがずり落ちないようにするために、毛糸の紐をきゅっと締めるのである。ラグビーは相手と激しくぶつかり合う競技なので、普通のベルトは使えないらしい。柔らかい毛糸のものとなる。

当時私のいた高校で、ラグビー部の男の子は花形であった。その腰紐を編むというのは、ステディの証である。私はもちろん大喜びで編んだ。しかしうちの母親がケチで、余りの毛糸しかくれなかったため、緑とピンクの変な配色になったのは、かえすがえすも残念であった……。

その後も何枚か好きな男の子のために、マフラーを編んだもんだわ。ある統計によると、女からもらっていちばん困ったものは、手編みのマフラーやセーターだという。けれども女というのは、そんなことはお構いなしに、編みたくなる時があるものだ。相手がどう思おうと、とにかく編みたい！　という衝動に駆られるのだ。

その発作が久しぶりにやってきた。雑誌を読んでいたら「初めてでも、誰でも編めるベスト」というのが出ていたのだ。「誰でも」という文字は私を誘うかのようであった。その雑誌社に電話をかけ、通販で毛糸を取り寄せたのが一週間前のことだ。長編みも細編みもすべて忘れていたが、何となく針を動かしていたら、それらしきものが出来たではないか！　これには、夫も驚いていた。

飽きるまでは、他のことはすべてほっぽり出して夢中になるというのが、私の性格である。私は、今度は模様編みに挑戦することにしたのだ。一度もしたことはないけれど、たいていのことは入門書を読めば出来るようになっている。ホント。

私は手芸売場で何冊かの本を選び、それに出ていた毛糸玉を買ってきた。毛糸の買い方も知らないので、店員さんに選んでもらう。

そして隣のレター売場に出かけた。私はこう見えてもかなり筆マメである。いただき物があったり、お世話になったり、私のことを讃えてくれるファンレターには、かなりの確率で返事を出すようにしている。が、これにもムラがあり、一生懸命書く時と、しばらくほっとく期間がかわるがわるやってくる。今はお歳暮の季節なので、わりと筆マメのシーズンかもしれない。

ここでレターセットや、鳩居堂のハガキを三十枚ほど買い、次は家庭用品売場へ行く。冬のスリッパがボロくなったので、新しいものを買うためだ。ボアがついた、ピンクのスエードの、それはそれは可愛いスリッパがあった。五千八百円とスリッパにしては高いが、エイ、という感じで買う。商品券を持っている強味であろう。

それでもまだ商品券は余っている。最後は化粧品売場へ行き、クラランスのボディオイルを買った。私は最近、ここのボディケアに凝っているのだ。オイルをつけマッサージをし、最後は冷たいシャワーで引き締める。マガジンハウスから出版されているクラランスの社長が書いたビューティブックによると、

「三十歳を過ぎたら、熱いお風呂には入らないようにしてください」

と書いてあった。皮膚のたるみの原因となるからであろう。が、私は日本人なので、やはり熱いお湯をたたえたお風呂に入りたい。ハーブの入浴剤を入れ、雑誌を読みながらお湯につかるのが、私の至福の時である。が、お肌がたるむのは嫌だから、このところオイルマッサージと冷水シャワーを実行しているのだ。

ボディオイルを買ったら、商品券は二千円分を残すだけになった。これはしばらくとっておこう。

それにしても毛糸とボアのスリッパの包みはとてもあたたかい。そうよね、幸せってこういう小さなぬくもりから始まるのね、と私はしみじみ思った。

夏は、若いというだけで輝いて誰もが幸せに見える季節だけれど、冬は幸せな人とそうでない人の差がはっきり表れる。だから努力しなくっちゃね。小さなことを大切にして、他人をあんまり羨まない。パーク ハイアットにお泊まりして、彼とクリスマスを過ごす友人がいるけれど、何ぼのもんじゃい！　と思いたい。

未練な私

私の性格をひと口で言うと、一度自分のものになったら、手放すのは絶対にイヤ！　ということが挙げられようか。

私のいけない癖だと女友だちは皆指摘したものであるが、別れた男の人とまるっきり切れたことがない。何年かたつうちには時々は電話し合ったり、年に一回ぐらいご飯を食べたりする。ヒトヅマになった今では、そういう楽しみと縁遠くなった私であるが、それでも昔の恋人の消息を聞いたりするのは大好き。

「今でもあなたのこと気にしていて、幸せにやっているのかなーって聞くのよ」

と彼に近い人が話してくれると、一日中嬉しいの。彼が未だ独身と聞くと、

「そうでしょう、そうでしょう、やっぱり私のこと忘れられるはずないものね」

あ〜、バッグが
私を襲う！

と自分にいいように解釈し、結婚したと聞くと相手の女のことをいろいろ聞き出し、
「ま、よかったんじゃないのォ、ああいう感じで」
とさりげなく悪口を言う。ふんわりとした関係で、お互い好きだったんだけど、タイミングが悪く何も起こらなかった結婚前の男友だちが何人かいるが、こういうのは、何の後ろめたいところもないから、夫公認でよく電話し合ったり会ったりする。私って本当にイヤな女。こういうのって美人でモテる女にだけ許されることなんだけど、欲張りの私はいくらでもしちゃうのさ。

ところでこういう性格であるから、私はモノもまるっきり捨てられない。私の友人の中にはハンドバッグを一個買ったら、洋服を一着買ったら、必ず同じ分量の同じ種類のものを処分するという人がいるが、私にとってはとんでもない話だ。

とにかく狭いマンションの中、洋服とバッグと靴がうなっている。その量はハンパじゃない。私は日頃自慢しているとおりよく新しいものは親戚の女のコとか、女性編集者にあげるんだけれども、それだけじゃとても片づくはずもなく、うち中わんさかうなっている。洋服は寝室をはみ出し、私の仕事部屋を占領し始めた。通販で買った百五十着収納のラックも、もう役に立たなくなった。

あまりにもたくさんあるので、どこに何があるかわからなくなり、私はいつも今シーズン買ったおなじものばかり着ている。

あまりの私の惨状に見るに見かねたのであろう、夫が私にパンフレットをくれた。夫が入っているカード会社が提携しているリサイクルショップの案内である。なんでも申し込むと家にダンボールを送ってくれるので、それに入れるだけでいいというのだ。

人にあげようにも、流行遅れのものは失礼だし、フリーマーケットはものすごく安いと聞いている。おまけにこの頃、青山や代官山といったリサイクルショップもインチキなところが多いというので、ちゃんとしたカード会社が勧めるショップなら渡りに船というものだ。とにかく今年のうちに、猫だけじゃなく、人間の歩けるスペースを何とかしたいの。

さっそく電話をかけたところ、売るもののリストを出してくれという。そこから私の苦悩の日々が始まった。

アナ・スイのイブニングコートとか、シャネルのピンクのスーツなど、おそらく二度と着ないと思われるものはあきらめがつく。が、悩みに悩むのはハンドバッグの部である。

海外で私はそれこそいっぱい買ってきた。イヤな女、と言われるのを承知で言うけど、ケリーもバーキンもそれこそ何個も持っている。棚にも収まり切れなくて、そこらにゴロゴロしている。プラダ、グッチもフェンディも、それこそ売るほどあるぞ。それなのに私はこの一ヶ月、ずうっとハラコのヒョウ柄のバッグだけで生きている。

が、バッグというのは、将来使えそうじゃないか。ケリーなんか、あと二十年たってもちゃんとご奉公してくれそう……。それで私はいじいじと考える。それは男の人と別れようかと悩んでいる時と似ている。

もうちょっとたつと、優しくなってくれるんじゃないかしらん。

この男を逃がしたら、もう恋人になってくれる人なんか、二度と現れないかもしれないし、いじいじ……。

これじゃいけないと私は大声を出し、クローゼットを開ける。よし、死んだ気になってエルメスを整理しようではないか。やはりケリーとバーキンは手元に置く。が、変わりバッグといおうか、エルメスがそのシーズンだけに出した面白いデザインのものはショップに出そう。なぜならひと目見て、エルメスだとわからないものは継子扱いすることにする。ひどい、田舎者、と呼ばれても仕方ない。

可愛がってる親戚のコにプレゼントする手もあるが、二十代のOLにエルメスは似合わない。金持ちのオジさんをつかまえたか、風俗でバイトでもしてるのだろうかとあらぬ疑いがかかるだけだ。こういうものは自分で働き、年増になってから持ちなさいと教えよう。

ついでによれよれとなったバッグは、廃棄処分にすることにした。四年前にミラノの本店で買ったプラダのエナメルのバッグ。私は気に入るとおなじものばかり使うので、かなりくたびれている。こういうのは思い切って捨てる。いい思い出をありがとうと感謝を込めて。

しみじみ思う。昔、こういう風に男の人と別れることが出来たら、私はもっとましな女になってたんじゃないだろうか。

女性のプロフェッショナル

柴門ふみさんと一緒に、京都に出かけた。南座での歌舞伎を見たり、おいしいものを食べたりと、とても楽しい二日間を過ごした。中でもハイライトは、芸妓の佳つ乃さんがやっているカウンター・バーに行ったことであろうか。

ピンクの小紋を着て、髪を大きく結っている佳つ乃さんの綺麗なことといったら。本当の美女というのはこういう人のことを言うんだろうなあと思った。私がもし男だったら、どんな大金を遣ってもいい、こんな美しい女性の歓心を呼ぶことが出来たら、と思うに違いない。京都の水商売の女性の中には、〝女性のプロフェッショナル〟と呼びたいような人たちがいる。顔かたちから、心構えが普通の女とはまるで違うのだ。厳しい芸の修業にも耐え、どんな一流の男性との会話にも合わせられるように頭も磨いておく。しかもいろんな方向から飛んでくる男性の視線もしっかりと受け止めるため、すべてのことに手を抜かない。

　東京にも芸者さんたちがいて、銀座や築地を歩いていると時々すれ違うことがあるが、彼女たちと普通の女はすぐに区別がつく。着物の着こなしがまるで違うし、それよりも天と地ほどの差があるのが襟足だ。歌舞伎座へ着物姿でおしゃれをしていく人は結構多いが、シロウトの女の人というのは、どんなにきちんとしていても襟足のうぶ毛がぼさぼさしている。おくれ毛も目立つ。ところが粋筋の女性の襟足というのは完璧だ。つるっとした肌が背中の方まで続いている。

「どうしてそんなに綺麗なの」

　と一度尋ねたところ、週に何度か美容院でカミソリをあててもらうそうだ。

　爪も綺麗。薄いピンクのマニキュアだけれども、ちゃんとお手入れが行き届いている。耳も綺麗、生えぎわも綺麗。つまり男性の視線が届くところは、すべて計算され、美しく整えられているのだ。

　シロウトの女のコというのは、男の人の視線を正面から受け止めることしか考えていない。だからアイメイクや唇の色に努力をする。けれども男の視線というのは、絶対に正攻法ではない。もっと狡(ずる)くて油断がならない。女の人の横顔とか、後ろ姿とか、斜め四十五度、六十度ぐらいからしっかりと見ているものだ。むしろこの時間の方が、女のコと正面で向かい合うよりも長いかもしれない。かなり意地悪く観察してるぞ。

普通の女のコも、このことを薄々感じているかもしれないが、

「後ろの方まで、手間はそうかけられない」

というのが正直なところであろう。欠点を見つけられたとしても、いずれ正面の方で挽回できればよいと考えている。ここが男の人が大金を遣ってくれる女と、せいぜいクリスマスプレゼントをもらうぐらいの女の差であろう。

私は一流のホステスさんとか芸者さんというプロフェッショナルを本当に尊敬し、かつ憧れている。私がもっと若く、かつ器量よく生まれついていたら、絶対に京都へ行き、そういう修業をさせてもらっていたような気がする。

ところでごくたまにであるが、普通の女のコの中に、こういう女性のプロフェッショナルのおいしいところだけを半端にとろうという手合いがいる。特にバブルの頃はひどかった。

私の知り合いの知り合いの、某有名女子大の女のコたちは、オジさんたちにさんざん貢がせ、海外旅行に何度も連れていってもらったということだ。そのやり口たるや、もの凄かったと私はかつての同級生から聞いたことがある。

その中のひとりがマスコミ関係に就職し、私は偶然話題の〝伝説の女性〟に会ったことがある。おっと、と思いましたね。髪や肌の手入れ、お化粧の感じがそこらの女のコとまるで違うのだ。オジさんの視線に鍛え抜かれ、洗い流されたという感じ。よく〝垢抜ける〟という言葉があるが、まさにそのとおりだ。しかし、やっぱりいい感じが持てなかった。

芸者さんやホステスさんが、しかるべき場所でこうした魅力をふりまくのは仕事上当然のことだ。男の人たちはそれに大金を払う。けれども仕事をしている一般の場所で、こうしたねっとりとした視線や、深く大きな頷き方というのはやはり場違いではないか。

「ちょっとあんた、若いのに勘違いしてるんじゃないわよ。オジさんたちから、いったい何を習ってきたのよ」

誰もいなかったら、ひっぱたいてやりたくなった。そして私はつくづく思った。普通の女のコにとって、野暮ったさもひとつの魅力ではなかろうか。襟足の綺麗さ、美しい指の動かし方と一緒に、クロウトの女性たちはやはりしたたかさや、ある種の知恵も身につけているはずで、そういうものはやはり普通の女のコには不必要なものだ。しかも普通のそうした女のコには、クロウトさんの持っている美意識も、修業の積み重ねといったものもない。いろんなものをタレ流しているだけ。佳つ乃さんなんか、何万人にひとりの美女なのだ。そういう人の真似をしちゃいけない。ただ見てため息をついているだけでいいんだと、私は思ったのである。

いったい、アンタは何なのさ！

タクシーに乗り、ラジオから聞こえてくる声にぼんやりと耳を傾けていた。そのうちにゲストの女性の紹介があった。女性雑誌によく出ている人で、翻訳家兼エッセイストということだ。私は断言してもいいのだが、この業界、エッセイストと名乗る女がいちばん怪しいぞ。テレビや雑誌に出たいんだけど、タレントと名乗るのはイヤ。作家というには小説書いてないけど、本なら一冊出したことがあるし……というような若い女が、この頃もの凄く増えているような気がする。

が、その女性はかなり年をくっているし、本も何冊か出している。かなりちゃんとした人だ。フランスのおしゃれや情報に詳しく、その道のオーソリティといってもいい。しかも美人だ。こういう人が何か言うと説得力がある。私はいつしか姿勢を正して聞いていた。

キャスターのオジさんが聞く。

「パリの女性って、本当に綺麗でおしゃれですよね。そこへいくと、日本の若い女性っていうのはみんな個性がなくて、同じような格好してますよね」

おい、おいと思った。このオジさんが幾つかわからないが、声からして五十代か六十代といったところであろうか。あんた、ちゃんと渋谷や原宿を歩いたことがあるのか、と私は言いたくなった。

私はその翻訳家兼エッセイストの発言に期待した。きっと日本の若い女のコを弁護してくれると思ったのだ。ところがとんでもない、彼女はもっとレトロなことを言いだしたではないか。

「本当に日本の若い女性は個性がなくて、おしゃれを知りませんよね。流行にすぐ飛びついて、みんな同じ格好をしてる。そこへいくとパリの女のコたちは、お祖母さんやお母さんから受け継いだ古いものと新しいものとを、うまく合わせてとてもセンスが良くて……」

うんぬん。私は本当にびっくりしちゃった。私はタイムマシーンで、二十年前のタクシーに乗ったのではなかろうか。一九九八年の終わりに、日本でこんなことを言う人がいるなんて信じられない。

確かにパリに限らず、フランスの女のコはとてもおしゃれだ。安いものを上手に着こなすことにもたけている。しかしそれも金髪やブルーネットの髪や、プロポーションですごく得する部分が多いのではなかろうか。金色の髪をぐるっとアップにして、ピンをさせばそれだけで決まる。長い足にパンツ、男もののブルゾンを羽織れば、それだけで素敵なパリジェンヌの出来上がりで、〝おしゃれスナップ〟に出てもいいぐらい。

けれども日本の女のコたちは、まだまだ背も低いし足も長くない。顔も大きいし、黒くて硬い髪を持っている。だけどみんなすごく頑張っているぞ。私は表参道に住んでいるので特に思うのかもしれないが、この国の女のコほど個性にとんで、「何でもアリ」の人たちはいないかもしれない。まだまだ発展途上で、大人から見れば仮装行列みたいな女のコもいるにはいるが、それもすごく可愛い。今日も全身ピンクで、イチゴやパンダのぬいぐるみをいっぱいつけた女のコが、ラフォーレの前をうろうろしていたが、私は思わず立ち止まり、あ、いいなと眺めていた。いったいどこを見れば、

「日本の若い女性は、没個性でみんな同じ格好をしている」

ということになるんだ。オジさんキャスターは言う。

「いやあー、パリの女性は本当に綺麗ですよね。日本の女性はどうしてあんな風になれないんでしょうかねぇ……」

それはあんたが外国人コンプレックスを持っているからよと、私は怒鳴りたくなった。白い肌と金髪に憧れを持っているオヤジに、ファッションを語らせるなんて、いくらNHKでもひど過ぎる。

私はタクシーの運転手さんに、よっぽどラジオを切ってくれと言おうとしたのであるが、そ

のうちにいつもの（？）冷静さを取り戻した。おそらくこのオジさんとか、翻訳家兼エッセイストの住んでいるところはコンサバの世界なのだ。雑誌でいえば、「ヴァンサンカン」とか「クラッシィ」に出てくる女性しか知らない人だ。確かにコンサバ業界では、髪型も似ているし、着ているものも似ている。みんな、

「上品ないいとこのお嬢さん」

をテーマにしているから、どうしたって似かよってくる。といっても、近頃のファッションはコンサバにもモードの血が流れ出して、今とてもいいマリアージュの時を迎えている。モードのいいところも取り入れ、ブランドも昔みたいに拒否反応を起こしたりしない。反対にモード系もエルメスやルイ・ヴィトンを取り入れ、どっちもカッコいいぞ。

もうパリをお手本にすることはない、などと断言するつもりはないけれど、まるで属国みたいに言われる時代はとっくに終わっているはずなのに……。私は腹が立った。パリがなんぼのもんじゃ、TPOがどうした。お祖母さんの服がそんなにエライか。やっぱりエッセイストを名乗る女というのは信用出来んぞ。

ビジュアル系はつらいよ！

やれば出来る！　私はあらたな自信を持った。クリスマスから正月にかけて、また体重が増え出したのであるが、一週間で二キロ落としたのである。

正月休みは一日中夫がうちにいる。朝晩どころか昼もつくらなくてはならない。外食だってひとりで行ってくれればいいものの、やはり私が同伴ということになる。

うちの夫はもの凄く食べる。二人でかなりの量の中華料理を食べた後、途中でケーキを買い寝る前に二個ペロリと食べる。貰いもののアイスクリームだって、専ら彼専用だ。お酒もひとりでワイン一本あけるし、ウイスキーや日本酒も底なしだ。お酒を飲み、ケーキを食べるという生活をしているのに、彼は結婚以来体重が変わらない。一緒にどこかへ行けば、

「相変わらずスリムでカッコいいわねぇ……」

と皆に言われる。ノロ気じゃなく本当の話。こういう人につき合って休暇を過ごしたら、あっという間に一・五キロ太ってしまったではないか。

私は自分で言うのもナンだけど、日本で数少ないビジュアル系作家。痩せた、太った、キレイになった、ブスになったと人さまから何やかんや言われる立場である。テツオも言う。

「あんたぐらい体重で人気や評価が左右される人も珍しいから、頑張らなきゃダメだよ」

そんなわけで必死にダイエット。朝は脱脂粉乳のカフェオレにバターなしのトーストにゆで玉子、昼間は野菜とトリ肉のうどんといった風に、そりゃあ頑張りました。中でもおすすめは〝ダイエットお好み焼き〟であろうか。キャベツ、長ネギをどっさり、あとは桜エビ、豚肉と栄養のあるものを入れるのであるが、私はカサを増やすためにコンニャクを細かく切ったものを入れる。これを昼食にお腹いっぱい食べれば、夜は本当に軽いものでOK。昨夜のうちのメニューはおでんだったが、私は大根、コンニャクといったものだけを選んで食べた。

ダイエットといえば、今年のお正月、鈴木その子センセイを見ない日はなかった。センセイはもはやダイエットの女王というだけでなく、タレントとしても揺るぎない地位を獲得されたようなのである。

実はこの私、センセイの創成期を知る数少ない生き証人である！　昔からダイエットを先取りすることにかけては他人に絶対負けない私、今から十六年前、センセイのお店に通い始めた。当時センセイは「やせたい人は食べなさい」というベストセラーをお出しになったものの、今のようにメジャーな存在ではなかった。六本木に小さなレストランを持ち、そこに何人かのファンといおうか信奉者が通うという感じであった。

ご存知のように鈴木その子式ダイエットは、完璧な油抜き料理である。その代わりご飯をいっぱい食べられるし、和菓子なら少量食べてもいい、というやり方が比較的私には合っていたようだ。おまけに運のいいことに、当時私の住んでいた東麻布のマンションの隣りに、ほか弁の支店が出来た。ここで海苔弁当を買えば、鈴木その子式にかなうことになる。私は毎日ここの海苔弁当をお昼にした。問題は上にのっているコロッケである。私はその都度「コロッケはいりません」とお願いしたにもかかわらず、店員によってはのせる人がいて、むっとしたものだ。

「嫌なら、取りゃいいじゃないか」

と向こうは思ったかもしれないが、ご飯にしみ込んだ油だって大敵なんだ。私はその部分のご飯を丁寧に捨てるぐらい努力した。

そして夕飯はレストラン「トキノ」でいただく。ここは油を徹底的に抜いた鰻やハンバーグがなかなかおいしかった。成果はどうかというと、私は空恐ろしいぐらいに痩せて、十数キロの減量に成功したのである。

センセイはとてもよい方で、〝優等生〟である私を可愛がってくれた。シャネルのバッグをくださったこともあるし、店でウエイターをしていたハンサムな青年を指さし、

「慶應を出て見習いをやらせている私のオイなんだけど、ハヤシさん、つき合ってみる気はない」

などと有難いことをおっしゃったこともある。もしかするとこの私、センセイの後継者としての道を歩んだかもしれない。私は当時仕事で知り合った松田聖子ちゃんにも、センセイの本をプレゼントしたぐらい全幅の信頼を置いていたのだ。

その私が、どうしてこうなったのだろうか。実はあまりにも急激に痩せたせいか、あるいは油分が少なくなったためか、私は体力ががくっと落ちた。一時期は階段を上るのも困難になったぐらいである。おまけに肌が乾燥肌になってきた。鈴木式を試した人が一様に言うことであるが、とにかく体から油っ気が抜けてしまったのだ。

私はその後、油とバターをたっぷり摂る「世にも美しいダイエット」式に挑戦することになる。が、鈴木式にももちろんいいところがいっぱいある。あれは体力も油っ気もたっぷりある若い人が、いっきに痩せるにはいいかもしれない。

それにしても鈴木センセイが、十六年前と全く変わっていないことに私は驚く。あの白塗りもそのままだ。もしかするとあれは〝かぶり物〟で、下に本物の生きているセンセイがいるのかもしれない（まさかね）。

地元民の強み！

表参道にもかすかな春の気配。

こんな時は例のジル・サンダーのスニーカーを履き、あちこち歩きまわる私である。お買い物だっていつもの穏田商店街ではなく、青山の紀ノ国屋ストアへ行く。ちなみにここのイギリスパンはすごくおいしい。薄めにスライスしたものをカリカリに焼き、バターとマーマレードをつけ、アッサムの紅茶でいただくと最高だが、一年三百六十五日ダイエット中の私は何もつけないようにしているけどさ。

そして紀ノ国屋ストアの帰り、買い物袋をぶらさげてゆっくりウインドウショッピングを楽しむのが、地元民ならではの歩き方かしらん（イヤらしいな）。

私がまだビンボーで若かった頃、参宮橋に住んでいたことがある。小田急線沿線の小さな駅

だ。ここは明治神宮の裏側に当たる。当時からミエっぱりの私は、表参道の住民に見られたくていろいろ工夫したものだ。

毎朝一時間以上かけて、明治神宮の境内と森をつっ切り、原宿の駅前のパン屋までバゲットを買いに行った。バゲットこそ、私は都会人の証だと思っていたのである。

それを持ってサンダル履きで、しばらく表参道をあちこちうろうろした。おかげで家に帰ってくるころには、ぐったりして何も出来なかったわ。六畳ひと間1DKのアパートに住む私にとって、神宮の向こう側は夢のようにカッコいい世界であったのだが、どうしてあんなに無理してたんだろう。

今は古くて狭いとはいえ、原宿のど真ん中のマンションに住む私。あちこち歩きまわらなくて何をするんだ。

最近、表参道には新しいビルやお店がいっぱい出来たが、もちろんちゃんとチェックしている。話題は何といっても、某Aビルであろう。このオープニングパーティに誘われたものの行かなかったが、神田うのちゃんとか藤原紀香ちゃんとかがイブニングドレスで出席して、それはそれは華やかだったようだ。

このあいだ中をぶらぶら見ていたら、背の高いものすごく綺麗な女のコがエレベーターを降りてきた。松嶋菜々子ちゃんであった。一回対談で会ったので見知らぬ仲ではない。挨拶をする時、ついでに傍らにいた女性雑誌の編集長を紹介した。彼女こそ業界一の美女と呼ばれるH

さんで、このページでもその美しさを何回か書いたことがある。

皆が言うには彼女は、松嶋菜々子ちゃんを大人っぽくさせた顔という。早く言えば、三十代後半のHさんには、菜々子ちゃんにはない大人の色香がある。こうして二人が向かい合うと確かにそっくりだ。私は嬉しくて嬉しくてたまらない。さっそくやってきたテツオに話した。ちなみにテツオとHさんはケーオー大学のクラスメイトである。

「ケッ、どこが似てるかよ。あんなオバさんと一緒にしたら、松嶋さんに失礼だぜ」

すっかりオジさんになった自分のことを棚に上げて言う。

ところがこのAビルであるが、外観はニューヨーク五番街のおしゃれな建物という感じなのであるが、売っているお洋服がいまひとつである。チョコレート売り場やインテリアの階はしゃれているのに、ファッションとなると無難なOLの通勤服という感じである。このあたりが私にはよく理解出来ない。

が、ここでの散策を終えると、私は表参道を少し戻り、伊藤病院の裏手へと向かう。ここにクレープ屋さんが開店したばかりなのだ。フランスの田舎を思わせるような木のつくりで、ランチはチーズとハムのクレープにサラダがついて九百八十円。味はまあまあであるが、特筆すべきことはここの店員が全員フランス人ということ。

「ボンジュール」

「ウイ」

というフランス語がとても新鮮だ。今の東京はイタリア人に占拠されていて、どこへ行っても「ボナセーラ」「シィ！」という言葉ばかりだ。そんな時にフランス語で応対されると、とてもゆったりとした優雅な気分になれるから不思議。

このあとは〝パレフランス〟の方へ行って、「オー・バカナル」のオープンテラスでお茶をすることもあるけれど、その地下の「ウエスト」のクラシックな雰囲気も捨てがたい。

などと書くと、いかにもおしゃれな日常を過ごしているようであるが、そこはそれ、地元民の強みでノーメイクで通す私である。冬はボロ隠しともいえるコートもあるし、つい気軽な格好で出かけちゃうのよね。

テツオはそんな私をサイテーという。

「いくらうちのまわりをうろつくにしても、化粧ぐらいして、もうちょっとマシな格好が出来ないの」

と叱られた。うちの夫も最近の私を見て、

「冬眠中のクマみたいだな」

とため息をつく。うちにいる時、いつもモンゴルで買った白いもこもこしたセーターを着ているからだ。

今、テツオが原稿を取りにやってきて、ついでにランチをとることにしている。彼はこの冬、プラダのハーフコートがお気に入りでそればっか着ていた。私とそう変わらないような気がするんだけど……。

私はクリーニング代をケチって、冬はなるべく同じコート、同じセーターを着ているようにしている。やっぱりこれってサイテーの女であろうか。でもいいの、表参道に住んでる人は、何をしても許されるの。

整形、恐るべし！

青山のスーパーマーケットへ行き、レジに並んでいた。見るともなしに隣の行列の人を眺めていて、あーっと声をあげそうになった。

モロ整形のすごい顔をしていたからである。今どき整形をした女性など珍しくも何ともないが、その中年の女性ときたら、手術のし過ぎでマネキン人形のようなのっぺりとした顔になっているではないか。

ひと昔前の整形らしく、唇の輪郭がぼんやりと厚ぼったくなっている。目は不自然な二重だからすぐわかる。今どきこんなヘタクソな整形も珍しいなあと、つくづく見てしまった私である。

さて芸能人の話であるが、いったいどのくらいの割合でしているものなんだろうか。さる業界通によると、

「属しているプロダクションの方針によってかなり違う」

ということらしい。つまり社長が整形手術を黙認しているところは幾つかあって、そこのプロダクションの女優さんやタレントさんならしている可能性があるということだ。

名前を挙げたら、エッと驚くような人も、

「してないとは言い切れない」

と彼は言う。

これは中年過ぎの某大女優であるが、お正月を過ぎてからはっきりと顔が変わった。露骨なぐらい目がつり上がり、若々しくなっているのだ。おそらく暮れの休みの時に病院へ行ったのであろう。

ヘアメイクの人から聞いたところ、こういうリフティングをすると、こめかみのところに傷跡が残るんだそうだ。まだ若いタレントさんが目や鼻をいじったりしても、プロのヘアメイクは感触ですぐにわかるという。ファンデーションやアイシャドウが、そこだけつきが悪かったりするんだそうだ。

これで謎が解けた。芸能人というのはヘアメイクの人とくっついている場合がある。友だちは彼女、もしくは彼ぐらいしかいないんじゃないかと思うぐらい、どこへ行くのもヘアメイクの人と一緒だ。芸能人と対談というと、それこそ、ぞろぞろ従いてくるぞ。

私は最初、

「やっぱり体に触るわけだし、孤独な芸能人の悩みを聞くわけだし、すんごく信頼関係を結んでいるのね」

と思っていた。が、それだけじゃない。ヘアメイクの人は、スターの秘密もしっかりと握っているわけだ。だから女優さんやタレントさんは、ヘアメイクの人を決めていて、どんな仕事でも彼ら以外には触らせない。よって結びつきはどんどん深くなっていく。なんかすごい世界だなあ……。

とここまで読んで、賢明な読者はこう思うに違いない。

「アンタってやっぱりイヤな性格ね。自分が整形する勇気ないもんだから、整形した人のことをおちょくったりしてさ。そんなに羨ましいんだったら、自分もやればいいんじゃないの」

それは半分当たっているけれど、半分当たっていない。なぜならば歯の矯正をして以来、私は自分の顔のいちばん嫌なところが失くなったのだ。それに観察したところ、私は目は充分に大きいのであるが、黒目が足りない。こればっかりは手術ではどうすることも出来ない。鼻を高くしたいと思うが、平べったい顔立ちの中でこれを直したたって仕方なかろう。さしあたって、私は自分の顔と何とか折り合いをつけていくしか仕方ないという境地に達している。

だから手術をした女優さんをどうのこうのいう気はまるでないの。美しさを売り物にしている人たちが、より美しくなろうとするのは当然のことである。プロとしての権利であり義務である。

最近〝お宝発掘〟ということで、スターの昔の写真が出てくる。レースクイーン時代や売れないモデル時代のものだ。昔はぽちゃぽちゃしていることもあるが、それを差し引いても顔がはっきり違うことがわかる。目も小さいし、鼻のあたりがもっさりとしている。

しかしそれを見た女のコたちは、決して意地悪なことを言わない。

「○○○子ってさ、あざといぐらい顔を直してんだよね」

という評価をしないところが、今日びの女のコのエラいところだ。それどころか自分を昂め、どんどん綺麗になっていった彼女たちを心から賞賛していく。つまり彼女たちにとって、人気者となり、お金持ちとなって顔をどんどん直す、体をどんどんスリムにし、どこから見ても完璧なボディをつくったスターというのは、尊敬に値すべき人なのだ。過去なんてどれほどのことがあろう。今、美しい人が勝利者なのだ。

ところで話は変わるが、昔ちょっと売れていたけど、現在はいまふたつ……という女優さんや歌手に限って、どうして化粧が濃くなり洋服が派手になるのか。どうしてあんなにパーティが好きになるのか。そのたびにどうして違ったブランドのドレスを着ていくことが出来るのか……。

〝旬の人〟というのはメイクもシンプルだ。流行のものをさらっと着て、カメラマンのフラッシュを浴びる。オーラというのは整形手術をしたからといって、決して損なわれるものではない。当たり前のことだけど。

白い靴の呪い

今年の流行はなんといっても白だ。グレイを脱ぎ捨て、みんなが白を着始めた。

この私も、冬の間に新作の白を何枚か買った。白いジャケットに白いスーツ、それとルーズウエストのシルクのパンツも素敵よ。

が、私は悩んでいる。この白にどういう靴を合わすべきなんだろうか。うちに何冊も送られてくるファッション雑誌を見てみると、わりと年齢の高い女性向け、ややコンサバ系は黒い靴を合わせている。

「白い靴はコギャルっぽいと敬遠される傾向にあります」

だって。あら、そうなの。けれども若い人向けの雑誌はたいてい白だ。中にはブルーやグレイのデッキサンダルに合わせている例もある。

実はこの私、知り合いの方からプラダの靴を貰ったばかりだ。シルクのサンダルで色はピンク。ヒールが信じられないぐらい高い。これとシルクの白パンツを合わせてみたいけれども、コーディネイト的にどうなのかしらん。

テツオの意見はこうだ。

「ピンクなら合わせやすいけど、白はやめた方がいい。未だかつて白一色のコーディネイトが浸透したことはない」

背が高くて金髪の外国人ならともかく、日本人というのは足まで白一色にすることに抵抗があるという。でも本当かな。何年か前、やはりテツオが言った。

「白い靴ぐらいダサいものはない。あんなもんは、履いちゃいけない。夏だってダメ」

そんなもんで私は、新品の白のブランド靴を全部人にやってしまった。うちの靴箱にあるのは、せいぜいが薄いベージュかグレイである。それなのに私が白の靴を捨てたとたん、結構街で見かけ始めた。数年前に比べたらすごい変わりようだ。

が、私はやっぱり今年の春、白い靴を履かないような気がする。テツオに言われたわけじゃないが、やはり白い靴をカッコよく履くというのはとてもむずかしい。ただ白いだけで、三年前のフェラガモのパンプスを履くわけにもいかないし、そうかといって早春に白サンダルに素足というのは、寒くってこの年の女にはつらいわ、つらいわ……。

全く靴一足のことで、どうしてこんなに悩むのかしらん。そんなにお前はおしゃれで、いつもいいカッコしているのかと問われると困るのであるが、やはり私は靴の持つ呪いから逃れることは出来ない。それは何度もお話ししているとおり、私が大足の女だからだ。二十四・五センチなんて、今はそう珍しくないものかもしれないけれど、私はたて長じゃなくて、すっごい幅広の足なのよ。よくファッションメーカーのバーゲンのお誘いをいただく。そこではモデルが一回コレクションや撮影で履いた人気の靴が、それこそ三千円、四千円で売られている。みんな白人だからデカイ。二十五センチ、二十五・五センチなんていうのがざらだ。けれども幅が、悲しくなるほど細い。かかとは余るのだけれども、横はきついという事態になるのだ。

今は大人になり、ちょっとお金持ちになったから靴は何足でも買える。外国ではサイズさえあればいっぺんに五、六足買うという成金っぽいこともする私。けれども若くてビンボーな頃は、いつも同じ靴ばかりだったから、どんどん横に広がり、すごい勢いで醜いカタマリになっていったもんだわ。脱いだ靴というのは、実は脱ぎ捨てた下着以上に女を感じさせるものである。金持ちの友人がいて、彼女は学生時代から高価なシャネルやランバン、ジョルダンを履いていた。おまけに二十二・五センチというきゃしゃな足だ。ヒールも高く、よく手入れが行き届いている。彼女が脱いだ細ーい小さなシャネルの靴は、それだけで綺麗で我儘なお嬢さんという感じ。男だったら、ぞくぞくっとくるだろう。その隣りに並ぶ、スーパーで三千八百円で買った私のローファーの惨めなこと。横へ横へ広がって、よく磨いてないから艶もない。あれは私自身だったのね。

私は昔からよく気を遣う女といわれ、飲み会の居酒屋でもみんなの散らばった靴をきちんと並べたものだ。あれは私のやさしさじゃないわ。横広がりの靴をすばやく、縁の下のいちばん目立たないところに隠したかっただけ。

誕生日に彼から靴を買ってもらった友人を、それこそ信じられないような思いで見たものだ。そんな私が結婚相手の条件に、「自分より足の大きな人」を密かに挙げていたのはごく当然のことだろう。男の人とつき合い始めると、すぐに靴の大きさをチェックした。ある時玄関に並べられた彼と私の靴が、そう大差ないとわかった時のショック。

「ねえ、何センチなの」

「二十四・五センチだよ」

わりと小柄な男性で、この場合は初期の段階でやめにした。オットは二十七センチぐらいか。いつも玄関に彼の大きな革靴がどーんと置いてあるのを見るのは、わりと幸せな気分かも。マンションの外にちょっと用事がある時、子どもみたいにぷかぷかのそれを履いてみる。なんか自分がすっごく可愛い女になったみたいな気分になっていい感じ。

私が白の靴を好きじゃないのは、足がすごく大きく見えるからかもしれない。それにいつもピッカピカにしておかなくてはならないというお約束もある。白をカッコよく履いている女の人を私はほとんど見たことがない。白はコワイぞ。本当だよ。

スッチーの花道

サナエちゃんが遊びにやってきた。

サナエちゃんは、私と赤ん坊からの幼なじみで、今はスチュワーデスをしている。スチュワーデスといっても、年が年だから出世して管理職だ。このあいだまで教官をしていた。ソムリエの資格を早くに取り、スチュワーデスによるワインの本を作ったりもしている。

私が飛行機に乗ると、必ずといっていいほど若いスチュワーデスに言われる。

「○○（サナエの苗字）さんには、お世話になっています」

社内でも知らない人はいないぐらい有名人みたいだ。それをいいことに、私たちの故郷のおじさんたちは、たまに飛行機に乗ると嬉しくて、サナエちゃんの名前をすぐ出すらしい。

「○○さんって知ってる？　僕の知り合いなんだけど」

という会話は、客がスチュワーデスに話しかける常套手段である。が、

「そうですかあ、わが社のスチュワーデスは三千人近くおりますから〝期〟がわかりませんと……」

と軽くいいなされるのが普通だ。その点、山梨のおじさんたちは有利である。

「あんた、○○サナエって知ってるけぇ?」

と聞こうもんなら、

「はい、私どもの教官でした」

「先輩でお世話になっています」

という答えが返ってくるからである。このあいだもサナエちゃんは、近所のお寺の住職からというメッセージを、後輩のスチュワーデスから受け取ったそうだ。中学校の同級生は、飛行機に乗るたびに、スチュワーデスに、

「サナエちゃんに渡してくれ」

と言い、プリクラ(自分の)付きの名刺を押しつけるという。全くサナエちゃんも大変だ。

そのサナエちゃんが、珍しく東京に雪が降った日にやってきた。アルマーニのジャケットはわかるとしても、私が驚いたのは彼女の足元である。薄めのタイツに中ヒールを合わせているのだ。その前にうちに訪ねてきた女性編集者などは、スノーブーツといおうか長靴を履いていたぞ。東京で雪が降ればたいていのことが許される。私なんかＤＫＮＹのファイヤーマンブー

ツで外出をする。このブーツ、夫に言わせると、

「膝までの黒長靴に、黄色いペンキでＤＫＮＹって書いてあるだけじゃないか。このペンキとれば、魚河岸のおじさんの長靴とどこが違うんだ」

というシロモノである。が、これを履いてどんなところにも行くぞ。

それなのにサナエちゃんは、雪の日もきちんとヒールのついた靴で外出するのだ。

「だらしない格好をしてると、自分が気分悪くなるから」

と彼女は言う。

私は、ここにスチュワーデスのモテる秘密を見たような気がする。

ヘアヌードになる人が出てきたり、契約スチュワーデスが薄給なことがわかったりしても、あの職業はまだまだ男の人に人気がある。これは別の人から聞いたことであるが、最近の若いコはサナエちゃんみたいにキャリアを積もうなどとはあまり考えていない。それよりも若いうちにスチュワーデスという肩書きをいかして、いい男をつかまえようと合コンに精を出すんだそうだ。確かに私のまわりでも、スチュワーデスとの合コンと聞くと、目の色を変える男がいっぱいいる。

「ふん、スチュワーデスっていったって、あの制服脱げばただのＯＬじゃん」

と意地の悪いことを言う人もいるが、私の知っている限り、スチュワーデスは制服を着ていなくてもやはりアカ抜けていて綺麗だ。比較的お給料がいいために服にお金をかけられるとい

うこともあるだろう。世界各地でブランド品を手に入れる機会も情報も多い。元々が美人ということもあるであろう。

が、私は空港であることを発見した。羽田でも成田でも、スチュワーデスが五、六人、カートを引っ張りながら歩いていきますよね。あれってまさしく〝スッチーの花道〟ではなかろうか。スチュワーデスの制服は、颯爽としてしかも女性が美しく見えるようにデザインされている。黒いストッキングだから足も細〜く見える。きりりと結い上げた髪もいい感じ。彼女たちは何気なく雑談しながら歩いているように見えて、実はものすごく見せどころを心得ているに違いない。

「見て、見て。私、これをしたいばかりにスチュワーデスになったのよ」

あの時、まわりの乗客たちは、みんな彼女たちのことを見つめている。無邪気な憧憬のまなざしをおくる若い女のコや子どももいれば、「ふん」と反感気味の女もいるかもしれない。無視するふりをするおじさんや、物珍しげに眺めるおばさん、とにかくみんなが彼女たちを見ている。

「しょっちゅうこれをやっていれば、そりゃ綺麗になるだろうなあ」

と私は思う。芸能人は人に見られることでオーラを発していくが、スチュワーデスも空港のこの〝花道〟を歩きまわることにより、芸能人の何十分の一かのオーラは手に入れているはずだ。芸能人がスチュワーデスとすぐくっつくのも当たり前か。見られるという喜びと効果をどちらもよく知っている人種である。

オシッコまみれのバーキン

　この不景気に、バーキンが売れに売れているという記事を見つけた。何でも予約待ちということで、注文するまでに四、五年かかる。その合い間に女性たちは食べるもんも食べないで、節約するんだそうだ。

　ちょっとぉ、エルメスのバーキンといったら七十万円はするんじゃないの。ちょっとした国産車の値段である。国産車をぶら下げるには、若い女のコの腕はあまりに細すぎる。あれはやっぱり、がっしりと脂肪のついた中年女性のものだ、と言ったとしてもおそらくわかってはくれまい。

　欲しいものは欲しい、どんなことをしたって欲しい、と人の心をかき乱すのがブランド品の持つ魔力である。誰しも経験のあることだろうが、海外のブランド品店へ行くと鼓動の速くな

っていくのがわかる。

「こんなに買い物していいのか……」

ドキドキ、ドキ……。

「カードが落ちる時、どうやって払えばいいんだ」

ドキドキ、ドキ……。

「でもどうにかなる。どうにかなる。きっとどうにかなる」

心臓は高鳴り、手は震える。あの興奮状態をどういったらいいのであろうか。友人が証言するには、私は商品を手にしたままぴくりとも動かず、目はうつろになり、何ごとかつぶやいているそうだ。すごくおっかないとも言われた。

こうして買ったケリーやバーキンが、家のクローゼットの中に、というよりも部屋のそこらへんに何個かある。何回かお話ししたかもしれないけれど、私はかなりのエルメス持ちざんす。が、使うことはめったにない。なぜならエルメスのバッグというのは、実はかなり持ちづらいものだ。ケリーはいちいちとめ金をとめるのが面倒くさいし、開けっ放しにしていると、必ずといっていいぐらい通りすがりの人に「あぶないですよ」と注意される。バーキンにいたっては、重たいし、カサ高いこと腹立たしいぐらいだ。私の友人にパーティでも、オペラ見に行くのにも、いつもバーキンをぶら下げてくる女がいる。どうして小さいバッグに替えないのかと尋ねたところ、

「めんどくさいし、詰め替えると忘れ物するんだもん」

という答えが返ってきた。私もそうであるが、バーキンを使うとかなり不精ったれになってくる。かなりの量が入るので、いっさいがっさい入れて、いつのまにか同じバーキンばかり使うようになってくるのだ。

話は変わるが、茶色が大流行した二年前、どうしてもベージュのバーキンが欲しくてパリの本店で買った。帰国してすぐのことだ。お客が来ている間、猫を部屋に閉じこめておいたところ、仕返しにオシッコをされた。しかも敵は、わざわざいちばん新しく、いちばん高価なバッグを狙ったようなのだ。オシッコの跡は、日本のデパートを通じてパリで磨いてもらったが消えることはない。今でもマダラになって残っている。ネコのオシッコ模様のバーキンを持っているのは、日本広しといえども私ぐらいかもしれない。

ところでエルメスには、バーキンよりももっと重たい、使いづらいバッグが存在している。それは言わずと知れたオータクロアですね。今から十五年前のこと、ファッション雑誌のグラビア取材で、私はパリを訪ねた。そして、当時ローンを抱えていなかった私は、エルメス本店でバッグを三個買うという暴挙に出た。一個は白のケリーで、これは夏に着物を着る時に時々使っている。もうひとつは臙脂(えんじ)の大ぶりのケリー。これはもう早くも型くずれしてほぼ引退状態。そしてもう一個、真っ赤なオータクロアを買ったのである。よく芸能人が、機内用にこのオータクロアを持っているのをグラビアで見かけるが、どうしてあれほど力持ちなのか驚いてしまう。頑強な私をもってしても、中身を入れたオータクロアを持ち上げるのは至難の業だった。

「よっこらしょ」

とかけ声をかけて持つが、厚い丈夫な革のオータクロア＋バッグの中身の重さといったら、もう手がちぎれそう。私は本気で底に滑車をつけようと思ったぐらいだ。私はそのオータクロアを持て余し、なんと「アンアン」の誌上バザールに破格の値段で出した。あの時は「なんと太っ腹」とまわりにびっくりされたものだ。応募者が多い時は抽選で、ということであったが、

「ズルをしてくれないか」

という知り合いの電話が何本もかかってきたものである。

今数々の思い出を胸に秘めて、私のケリーやバーキンは静かに眠っている。だらしない私のことだから、クローゼットや袋には入らず、仕事場のあちこちに置かれている。今、私の好きな洋服に、これらのバッグはちょっと重過ぎる。それよりも軽快なプラダやドルガバの方が似合うような気がする。お出かけの時は光りもんのフェラガモがある。

しかしエルメスのバーキンを買った日のこと、買った場所のことははっきりと憶えている。スペインのあの店、当時円高のおかげで二十三万で買ったケリー、ロスの店で見つけたバーキンの新作……。他のバッグとのめぐり会いはすぐに忘れてしまうのに、やはりエルメスは違う。ずうっとずうっと、あの緊張感さえ記憶にある。みんなこの一生の出会いが欲しいんだ。

殴打の跡は、女の勲章

この本が出る頃には、すっかり古い話になっているかもしれないが、石井苗子さんの話は面白かったなあ。

いや、面白いというのは失礼かもしれないが、いかに男とキレイに別れなくてはいけないかという、いい見本かもしれない。

あんなに頭が良くて美人で、しかもいい年をした女の人でも、男の人とつき合うことで失敗する。思わぬアクシデントが起きるから、女は常に学習を続けなくてはならない。

女というのは、劇的なものを欲しがる反面、男を自分の都合のいいように操りたいと思う気持ちがあるから始末に困る。自分が別れて欲しい時は、あっさりとキレイに別れてくれなきゃ困ると思うものの、それだとやはり物足りない。

たとえば、今、ストーカー行為が問題になっているけれど、以前つき合っていた男に、いつまでもつきまとわれるというのは本当に困る。私の友人の中には、

「今からナイフを持って、お前のところへ行くから」

と電話で脅かされたコもいる。殴られた揚げ句、難聴になったコもいる。

しかし、雨の夜、ずぶ濡れになった男が自分の部屋の前で待っているというシチュエーションを、夢見ない女がいるであろうか。ドラマの中のあのシーンみたいに、

「オレはやっぱりオマエが必要なんだよー」

と言われてみたい。

「もうそろそろやめにしよう」

と持ちだしたとたん、相手も〝待ってました〟と言わんばかりに、

「そうだね……」

と言われる屈辱と悲しみ。あれに比べれば、多少つきまとわれた方がいいかも、などと思うのはモテない女の発想で、執念を持った男のやり方というのはそりゃあすごいらしい。

私のまわりの若い人たちは、好きになるとすぐ一緒に暮らし始める。東京のちょっと華やかな仕事をしている女のコの同棲率というのは、かなりのものになるであろう。

「もうちょっと待ってもいいんじゃないのォ。一緒に暮らすと後が大変だよ」

と、私は一応忠告するのであるが、耳も貸さない。そしてかなりの確率で別れが来る。恋愛

と違い、一緒に生活したとなると別れる時に大変だ。お金のこともからんでくる。それと男の人の面子(メンツ)というのも生じてきて、修羅場発生率もうんと高くなる。

梅宮アンナちゃんと羽賀研二クンなんていったいどうするんだ。二人で撮った「愛の証」のヌード写真集はどうなるのであろうか。私はひとごとながら心配になるのである。

テツオに言わせると、

「別れた後もぐちゃぐちゃ言うような、めめしい男とつき合うのがまず間違っている」

んだそうだ。それまでの男のすごし方を見て、モテない男、人生にあんまり恵まれなかった男は、最初からパスしなければいけないと彼は言う。

が、私は思う。そりゃあ、テツオみたいにモテて遊んでいる男とつき合う分には、別れる時も簡単であろう。あっさりとキレイにバイバイ出来るであろう。が、男の誠実さを味わうことは出来ない。

男のまごころを楽しむのと、恐怖を味わうのとは、実は表裏一体のものである。最近の若い女のコは、男のことをなめきっているから、一回ぐらい殴られるのも人生経験というものかもしれない。

もちろんこの場合は、女側に大きな非がある場合に限られる。よく別れる話し合いに、新しいカレを連れていく人がいるけれど、ああいうのは最低ですね。それから男のことを一方的にののしったり、まわりに悪口をいいふらしたりする女も、殴られても仕方ないのかもしれない。

が、殴られても必ずモトはとれるというのは私の持論である。

「別れ話がもつれて、男に殴られた女」

というのは、やはり畏怖（いふ）の念で見られるからである。バカな女と思われることもあるが、

「そんなにいい女だったのか……」

とまわりから興味を持たれることは間違いない。そういう時はあまり多くを語らず、

「いろんなことがあったけど、まあ仕方がないこともあるし……」

くらいにとどめておく。

プレイボーイの評判の高い男の人ほど、女の人は群がっていく。あれと同じですね。色事のトラブルが絶えない女の人というのは、それこそフェロモンが発生していく。やたらモテていくのである。

が、ここでも問題が発生する。これまた私のまわりに多いタイプであるが、こういう女の人というのは、いろいろ過剰気味の、ちょっと薄汚れた感じの中年女になりやすい。いつまでも若い男とつき合っていることを自慢したりするのだ。

そういう人生を望むならいいが、ある時がきたら、結婚、出産というコースで、人生のアカをきっぱり落とす。そして再び色気やフェロモンを身につけていくと、すっきりと上品な女に仕上がるようだ。本当に女の生き方はむずかしくて奥が深いんだから。

その女、インランにつき

いつものようにテツオとお茶を飲んでいた。話が共通の知り合いのことになった。

「本当にあの人ってキレイよね」

意地が悪いように思われている私であるが、好きな人のことはちゃんと誉める。

「洋服のセンスもすっごくいいしさあ。あのブランドの服を、あんなにうまく着こなせるのはあの人ぐらいよね」

するとテツオは鋭く言った。

「だけどあの人、インランが入ってるよね」

「そうかなぁ、でもあの人、見かけは派手だけど純情だよ。ひとりの男の人をずうっと大切にするし」

「だけど絶対にインラン、入ってる」

きっぱりと言う。確かに彼女のモテ方というのは普通ではない。ちゃんとした彼がいるというのに、私のまわりの男の人はみんな彼女のことを狙っている。このあいだお酒が入った時にアンケートをとったら、五人のうち二人が彼女を口説いていたということがわかった。

「そりゃモテるのは、インランが入ってるからだよ」

それからテツオは唇に嫌な笑いをうかべ、私のことを顎でしゃくった。

「あんたって、インランがまるっきり入ってない人だよね」

失礼ね、と私は激怒した。

「インランがまるっきりない私が、どうして人を感動させる、すんばらしい官能小説を書けるのよッ！」

テツオの言い分はこうだ。インランが入っていない人は、インランの入っている人のことを冷静に観察することが出来る。だから文章が書けるんだそうだ。

「ハヤシさんとかサイモンさん（ごめんね。テツオが言ったんだヨ）って、その典型だね」

「じゃー、○○さんはどうなのよ」
○○さんというのは、やはり物を書いている女性であるが、男関係が華やかだ。はっきり言ってモテるタイプとは思えないのであるが、男性関係のことをか、セックスのことをあけすけに口にする。

「ああいうのは、インランじゃない。単にセックスが好きなんだ」

さすがダテに女遊びをしていない男である。インランというのは、自然に奥からにじみ出るもの、セックスが好きというのは単純に体の外側につく習癖と定義づけたのだ。

私が思うに最近の女のコは「セックスが好き」という方に分けられると思う。ずっと以前のことになるが、インランと呼べるほど奥深いものは身につけていない。ずっと以前のことになるが、マッモトキヨシのCMが、世の中の非難を受けてすぐに変えられてしまった。

「朝、目が覚めたら知らない男の部屋にいた」

というあれですね。出てくる女のコは結構可愛くって清純っぽい。知り合ったばかりの男とベッドを共にするようには見えない。こんな女のコまで、即ベッドインするような風潮は許せないと、おじさんやおばさんは怒ったわけだ。

が、世の中の女のコにしてみれば「どうして」という感じであったろう。知り合って三十分後であろうと、五分後であろうと、感じがよい男の子とセックスするのは当然じゃないか。何が悪いという感じであったろう。私らの時代まで、セックスというのは〝好きな男〟とするものであった。けれどもこの十年ぐらいで、セックスは〝感じのよい〟男とするものに変わったらしい。〝感じのよい〟〝話が合う〟男が、ちょっと時間がたてば〝好きな男〟になるということはいくらでもある。もしならなかったら、その時にやめればいいのだ。セックスは誰としてもそうアタリハズレがないしさ……。

いずれにしても、十代の終わりか、あるいは二十代の頃に、セックスがめちゃくちゃ好きになるという経験は誰にでもある。彼のことが好きなのか、それともセックスが好きなのか、わけがわからないままにごちゃごちゃになり、彼とするそのことしか考えられなくなる。あの甘くせつない気分を経て、女のコは大人になっていくのだ。

そして三十代になると、ちょっと飽きる時期が来る。飽きるというよりも〝もの憂い〟という感じでありましょうか。ああいう風に口説かれて、ああいう手順を踏んで、ああいうことをするのね、もう、わかりきっちゃってかったるいわー、という非常に贅沢な気分である。が、この時期を乗り越えると、また男の人とごちゃごちゃするのがとても楽しくなってくる。しかし、たいていの女の人はここでリタイアとなる。なぜなら大半の人が、普通の奥さんになったり、お母さんになって、そういう機会がなくなってくるからだ。

が、それでも男の人が寄ってきて、自分でも応じてしまう女の人がいる。ちょっと年をくっても、フェロモンが分泌されていく女の人たちですね。彼女は自分でもわけのわからぬ衝動に駆られて、男の人としょっちゅうそういうことをしてしまう。ここで初めて、セックスは、インドアスポーツから、すごくイヤらしい人間の営みへと昇華していくのだ。が、これを味わえる女の人はほんのひと握りで、インランの称号をもらえるのである。

若かったら男に言い寄られることも多く、セックスが好きになりやすい。しかし、これに関してはもっと奥深い世界がある。詳しくは林真理子の本を読んで欲しい。

不倫中毒

最近我々の周辺をにぎわせている事件がある。

不倫をしているA子という若い女性が、相手の家へ乗り込んでいって、家財道具をむちゃくちゃにしたという。が、不思議なことに男の方は彼女のその情熱にさらに魅かれ、二人は今、同棲をしているそうだ。ちなみに奥さんの方は、いろんなショックで精神科に入院したというから、ホラーのような怖い話である。

「私は彼女ほど凄いことは出来ないけど、気持ちはわかるな」

と言うのは、やはり二十代のB子である。彼女はやはり妻子持ちの男性と熱愛中なのであるが、あちらの男性は、日曜日にケイタイの電源を切ってしまう。それが口惜しくて悲しくて、長い長い恨みつらみの手紙を書くんだという。

みんないろいろ苦労しているんだ。だから人のダンナさんとそんなことしちゃいけない。世の中には若い独身の男のコがうろうろしてるんだから、その中から見つけなさい、何ていうことを私はもちろん言わない。

「他人の不幸は蜜の味」

と言うが、それよりもさらに濃く、ねっとり甘く、コンデンスミルクを混ぜ合わせたようなのが不倫ではなかろうか。

大昔の話であるが、不倫が発覚した女優さんがこう言ったことがある。

「好きになった人に、たまたま奥さんがいただけです」

これは名言ということになっているが、半分は嘘だと思うな。若い女性の心の中には、一回ぐらい妻子持ちとつき合ってみたい、という気持ちが潜んでいる。また同じように、うんと女たらしで、悪い評判のたっている男とも短い間だったら、恋愛してみたいという願望もある。どんな風に女を口説いているんだろうか。その先にはうんとドラマティックなことがあるんじゃないか、という期待ですね。

不倫だとドラマみたいなことが起こりそう。私の友人は、やはり妻子持ちとつき合った時、

「君の人生をめちゃくちゃにしたい」

と言われたそうだ。やっぱりこういうセリフは、若い同じ年ぐらいの男の口からは出てこない。別れるまでは楽しくデイトして、セックスして、時々喧嘩して仲直り、というパターンし

かない。けれども妻子持ちの男とつき合うと、これに苦悩というやつが加わるのだ。苦悩と涙こそ、恋愛における最大の甘味料である。昔は身分違い、などというものが存在していたが、今はもちろんそんなものはない。よく言われることであるが、現代において唯一の障害物こそが不倫なのである。

奥さんがいる男の人を、好きになるのはもちろん悪い。しかし人間、生きていれば、悪いことだっていっぱいする。盗みや人殺しをしたわけでもない。しかも不倫というのは、相手の男性と共犯なのである。

居直れ、というわけではないが、自分は悪者だという自覚のもと、突き進むしかない。私の友人で不倫癖がついている女がいて、必ず自分を被害者に仕立てる。

「あの人は奥さんがいたくせに、私に近づいてきた」

と文句ばかり言うが、これはいちばんよくない例である。ささやかでもいいから美学を持たなくてはならない。無理難題を押しつけない。正月、クリスマスといったイベントの日は我慢する、ひたすら待つ、などというのは古い時代のタブーではなかろうか。これほど不倫が一般的になった今日では、たいていのことは許されるような気がする。相手の奥さんと戦う、ということもアリかもしれない。が、離婚して自分と結婚してくれるかもしれない、という幻想を持たない方がよい。それから将来、別の男と結婚をするというケースもあり得るわけだから、あまり破滅的なことをし、世間の評判になるというのも、あまり頭がいいことじゃないかもね。

もう十年以上前のこと、テレビ関係者の妻が、泣いて私に訴えたことがある。夫と売り出し中の女優が恋に落ちた。それはもう仕方ないとしても、この女優というのは顔に似合わないしたたか者といおうか、根性ワルで、この奥さんに嫌がらせばかりしていた。ラブレターをわざとわかるように送ったり、パーティでこの奥さんに会うと、

「元気イー、でも何だか顔色悪いみたい。どうしたのオ」

とわざと馴れ馴れしくする。ずっと年が上の奥さんは、はらわたが煮えくり返っていたが、世間の手前、じっと我慢した。

その女優こそ誰あろう、最近ダンナを若い人気女優に盗られ、ワイドショーの主役となったあのヒトです（注・仁科亜季子さんではない。もっと前の主役）。泣きながら、

「子どものことを考えると、つらくてつらくて……」

などと言って、主婦の同情をすっかり集めていたが、私はザマーミロという感じであった。昔、自分がやったことを、今度はもっと若い女にやられただけなのね。

楽しいことのツケは、やっぱりいつか払わなくっちゃね。というわけで、私は不倫している若い女性にまるっきり同情しません。ちなみに私はヒトヅマなので、独身とつき合おうと妻子持ちとつき合おうと、不倫であることには変わりない。何をしても楽しいことになるのだが……。

イブニングは女を磨く

うちの近くにグッチの路面店が出来、そのオープニングパーティの招待状が来た。よくこういうのをいただくけれども、私は行ったことがない。なぜなら着ていくお洋服がないことと、芸能人が多くて気後れしてしまうからだ。

最近こうしたファッション関係のパーティに、芸能人の人たちはすごく気張っておしゃれをし、それを目当てにマスコミがどっと押し寄せるという構図が出来上がっている。もちろん私なんか撮られることもないのであるが、ごくごくたまにテレビのクルーや雑誌社の人にインタビューされることもある。間違って映ったりすると、女優さんやタレントさんとの差は歴然、というよりも全く違う人種であることがはっきりとわかり、私はとてもハズカシイ。みじめな気持ちになる。だから私はそういうところには近づかない。現代のセレブリティたちは、テレ

ビや雑誌で見ることにする。

セレブリティといえば、アメリカのその人たちがいっぱい出てくるアカデミー賞の授賞式を見るのが私は大好き。せいぜい年に五本ぐらいの話題作しか出ない、日本アカデミー賞の寒々とした光景とは、比べものにならないほどの華やかさとゴージャスさ。衛星放送のリアルタイムで必ず見る。

今年は日本女性が、ドキュメント部門でオスカーを貰い大変な話題となった。元ミス日本グランプリというからかなりの美貌だ。こういう国際的スケールの才色兼備が出てきたというのは、同じ日本人として嬉しい限りである。

けれども意地悪なことをひとつ言ってもいいかしら。授賞式のドレスがいまひとつだったのよ。

ハリウッドを代表する女優たちに有名デザイナーがついているというのは、周知の事実である。誰がどこのものを着ているか大きな話題となるから、デザイナーはこの時ぞとばかり頑張る。それを旬の美女たちが着る。そういう人たちと比べるのは酷だとわかっているが、やはり彼女のドレスの袖の造花は野暮ったい。グウィネスやユマを見てわかるとおり、今のイブニングドレスのトレンドは、シンプルということだ。生地とカッティングの良さ、そして体の美しさで見せる。ドレスに造花なんて誰もつけていない。私は日本女性の受賞を心から祝いつつ、袖のピラピラが気になって仕方なかった。

さて、女と生まれたからには、モード系の流行服は当然のことながら、イブニングも着こなせる女にならなくてはならない。これが若い人にとっては、とてもむずかしいことだ。まず着慣れることが第一条件となる。

私が初めてイブニングをつくったのは、ヨーロッパ社交界にデビューした十年以上前のことであった。というのは、半分嘘で半分ホント。あのバブル景気の頃で、ウィーンのオペラ座で繰り広げられる大舞踏会へ行きませんかと招待を受けたのだ。イブニングといえば、やっぱり森英恵先生。私は先生に頼んでエメラルドグリーンの、それはそれは素晴らしいイブニングをつくっていただいた。その後は、チャールズ皇太子と今は亡きダイアナ妃をお迎えしての、英国大使館のレセプションだったかしらん。この時は、紫色のイブニングね……などと書いていて照れてしまう私。やはりイブニングのことを語るっていうのは、自慢たらたらおハイソっぽくなってしまうのね。

その後もオーケストラをバックに歌う、エイズのチャリティコンサートのためにドレスをつくったりしている。キレイとか似合うなんて誰も言ってくれないけれども、迫力はあるという意見は多い。

そうよ、私は頑張る。胸をそらし、背筋を伸ばしながらドレスの裾を引きずって歩く。こう言い聞かせる。

私はお姫さまなのよ。私はカッコいいのよ。みんなが私を見ているのよ。すっごく決まっているのよ。

この自己陶酔がなければ、イブニングは着こなせない。とにかく堂々と振る舞う。恥ずかしさから背中が丸まりがちになるが、それだけは避ける。

ある時パーティに出たら、目の前のテーブルに黒いイブニングドレスの女性が座っていた。キレイなコだけれども、芸能人ではない。

「この若さで、こんなにイブニングが似合うコっていったい誰だろう」

とずっと気にかかっていたら、渡辺プロダクションのご令嬢であった。アメリカ留学から帰ったばかりだったらしいが、あの着こなしと度胸のある立ち居振る舞いはさすがと、今でも記憶に残っている。

でもどうせ、私なんか普通のコ。イブニングを着ることも似合うこともない、とこれを読んでいる人が思ったら、それは大きな間違いだ。

たいていの女のコが、イブニングを着る。それは披露宴のお色直しというやつですね。この時、誰でもすごくキレイ。すごく似合っている。幸福なあまり、胸の肌なんかピカピカしているし、緊張のあまりかえって姿勢がいい。あの時の心を忘れなかったら、女はずうっとキレイでいられるのにね。

ところで今年の秋、パリのパーティに行く私。どんなドレスをつくろうかしら……やっぱりオートクチュールじゃなきゃなんて、なんか叶姉妹のようになってきたぞ。

規格外と勘違い

パックをするのはとても楽しい。

白やグレイのものを塗りたくっておいて、遅く帰ってきた夫を、わっと驚かすという手もある。そんなことよりも、じわじわと肌に栄養分がしみていく感じが、キレイになるという手ごたえがある。

最近私が気に入っているのは、マスク式のベロッと剝がすやつ。塗るタイプもいいが、あれだと気軽に出来る。が、私はある日重大なことに気づいた。マスク式パックには、目と鼻と口の三ヶ所が開いているが、私がつけると右目が半分かぶさってしまう。そこで少し右に寄せると、今度は左目が半分見えなくなる。つまり私の目の位置と、パックの目の位置とは全く合っていないのだ。言いたくはないが、私の顔の幅、および目の離れ方が標準外ということになる。

今年の私のサングラスは
グッチです

しかし私は、これをパックのせいだと思っていた。私が愛用しているのは、マックス ファクターのSK－IIである。アメリカ製だ。

ということは、アメリカ女性の顔のサイズに違いない。グウィネスとか、ジュリア・ロバーツといった顔の女が使うのだ。私に合わなくても無理ない、仕方ない……。

が、友人たちはそんな私をせせら笑った。

「バッカみたい。日本で売るんだから、日本人のサイズにしてるわよ。だいたい、あのパックが顔に合わないなんて話、聞いたことない」

ということは、私の顔が規格品はずれということであろうか。

そういえば、合うサングラスがなかなか見つからない。目がグラスからはみ出してしまうことがしばしばだ。

以前もお話ししたと思うが、夏が近づくとサングラスを買うのが、私のならわしである。必ず買う。このあいだ片づけものをしたら、ほとんど使っていないサングラスが四個も出てきた。ぜーんぶブランドものである。もったいないといえば確かにもったいないが、水着と同じで、サングラスも昨年のものと微妙に違うのだ。

さてグッチの青山店が出来たので、さっそく見に行った。不景気なんてどこの国の話かと思うほど、ものすごい人である。まるでマクドナルドみたいに人が入ってくる。学生服の男のコたちも数人でやってきたが、いったい何を買うんだろう。

夏のバッグをひとつ買い、ウインドウに目をやると、ブルーの素敵なサングラスが飾られていた。私は長年のカンで、そのサングラスが自分に似合うか、というよりも目がはみ出さないかということが一瞬でわかるようになっている。そのサングラスをかけてみた。大丈夫。ＯＫ。

昔、ジョン・レノン型グラスをふざけて友人から借り、その場でかけたところ、みんなしーんとしてしまった。まるで私が悲惨な悪ふざけをしているように思ったのだろう。よって私は、あのテの丸グラスは絶対にかけない。グッチで買ったそのサングラスは横に長く、目がはみ出すことはなさそうだ。

さっそく家でかけてみたところ、

「派手ですねー」

秘書が言った。

「ハヤシさん、まるで芸能人みたいですよ。すっごく目立ちます」

それはそれでいいけれど、グラスを派手にすると洋服が合わなくなってくる。もうちょっと流行っぽいものにしようかとあれこれ考える私である。

まだ早春と言いたい頃の表参道で、コートをなびかせている女性が、さらっとサングラスをしているさまはとてもカッコいい。ついこのあいだは、真っ白いＴシャツにジャケットというスタイル、ジョン・レノン型グラスをしている人がいたけど、これまたいい感じ。

反対に、嫌いな女がサングラスをしていると、不快さが三倍にも四倍にもなるから不思議である。私は世間の人が思っているよりもずっと穏やかな性格で、それほど人の好き嫌いがない。けれどもむかつく人は何人かいる。

ある日、オペラを観に行った時のことだ。それはビッグ・イベントで、宮さまとか大臣、青島都知事なんかも呼ばれていた。そういうＶＩＰは前の方の席で、係の人に案内され、みなの視線の中、前の席に着く。

ところが彼らよりももっと後に、遅れてやってきたのが「業界一の勘違い女」、Ａ女史であった。自分では超有名人のつもりらしいのだが、たまにワイドショーのコメンテイターをやるぐらいで、どれほどの人が彼女を知っていることであろう。

彼女は係の女性に案内させ、やや小走りで席に着いた。驚いたことにサングラスをし、パンフレットで半分顔を隠しているのだ。オペラをサングラスをして見ようなんて、いったい何を考えているんだ。私も自意識過剰のところはあるけれど、身のほどは知ってるわよ。私は彼女のことをますます嫌いになってこのことを皆に言いふらしてやった。

「その時かけてたのが、ジョン・レノン型のグラスなのよッ、ふざけてるわ」

ジョン・レノン型はよっぽど美人か、カッコいい人じゃなければかけるべきではない。私なんか、特製のものをつくってくれない限り、目がはみ出す、一生かけられない。彼女は私の怒りをますます買うことになった。

くたばれ！　肉じゃが女

いつもすごい剣幕で、私に原稿の催促をするテツオが、ぴたりと電話をかけてこなくなった。試しに、三日も〆切りを遅らせたが、それでも連絡がない。おかしい、おかしいと思っていたら、急病で寝込んでいたということであった。やっぱりあのトシまで、男が独身でいるとろくなことがない。テツオの食生活はほとんど外食なのである。栄養不足にアルコール過多。やっぱり私のように、料理好きでやさしい奥さんを一日も早く見つけるべきだ。

ところでこのあいだの「アンアン」はお料理の特集号であった。毎年いつも春になるとこの企画をするが、私のようなプロから見ると、意図がバッチリわかる。四月になると、多くの女のコがひとり暮らしを始める。ひとり暮らしの女のコが、真っ先にすることは彼をお泊まりさせることだ。だからお料理特集が組まれるわけでしょ。

いい女は、ワイン飲みながら料理する。

夜は二人でワインを開けるとする。そんな時にちょっと気のきいたお料理をつくりたい。それよりも、そんなことよりもさ、朝、起きた時に、何を用意すればいいのかしらんと、女のコは悩むわけだ。焼きたてのブリオッシュにカフェオレ、クレソンをたっぷり使ったサラダ……なんて夢はふくらむ。

昔、昔、「肉じゃが信仰」というものがあった。男はお袋の味に弱い。中でも肉じゃがが大好物。彼が泊まったりした時に、こういうものを出すと大感激されます。そして彼のハートはあなたのもの、なんて書き立てる女性雑誌があって、当時の女のコはかなり本気になったものだ。

が、私はこの肉じゃが何トカというやつが大嫌いであった。肉じゃがなんて、ビンボーくさいじゃないか。肉じゃががビンボーくさいのではない。そういうもんで男を釣ろうとしている女がビンボーたらしいんだ。料理をつくろうと、つくれまいと、いい女はいい女。モテない魅力ない女は、やっぱり魅力ない女なのである。

いい女がさりげなく、カッコよく、手早くお料理をつくる。だから、男の人は大感激するんだ。

最近の若い料理研究家は美人揃いで、エレガントな人が多い。エプロンなんかしないでグラビアに出てくるが、これがとてもサマになっている。中でも井上絵美さんは本当にキレイ。実際、彼女はとても親切な人で、ささっとケーキやパンを焼いて持ってきてくれたことがあったが本当においしかった。あんなに素敵にマニキュアした指から、どうしてこんなにおいしいものがつくれるんだろうと思うぐらい。

これから料理する女は、これでなきゃね。フランスやイタリアの食材にも詳しくて、ベトナム料理のライスペーパーもうまく戻せる。そんなにウンチクは垂れないが、ワインのことも少しは知っている。何よりもおしゃれでキレイ。こういう女が、エプロンをかけないままキッチンに立って、ワインを飲んだりお喋りしたりしながら、おいしい一品をつくる。こういうのがカッコいいんだわ。男が寝てる間に、必死にオカカ削ったり、煮干しの頭とったりするなんてもう古い。そういう女に限って、寝癖ついてたり、寝起きの顔がむくんでいるはずだ。

いい女というのは、男と一緒に起き、男にも何か命令する。そして男がコーヒーを淹れている傍らで、レタスをサラダボールにちぎったりする。その間、ゆで玉子をつくる。だけど昔の女みたいに、輪切りにして飾ったりはしない。どうするかというとミモザにしたりするわけだ。そして冷蔵庫の中から、ハードタイプのチーズやアンチョビを出してきて、ちょっと飾る。こういうセンスを持っている人って、たいてい美人でおしゃれ。いや、美人でおしゃれだからこういうことが出来るのね。

さて昨日のことであるが、近所に住む友人のところへ遊びに行った。もう散りかけた桜を眺めながら、パーティをしようということになったのだ。友人はこのあいだ北京で買ったというチャイナジャケットを着ていたが、よく見ると桜の模様である。

それからナプキンはピンク、お皿は桜の花の形、箸置きは花びらの形であった。お料理は煮物とサラダが主であったが、どれも白ワインに合うように工夫されている。

やがて彼女のパートナーが、そば打ちの実演を始め、皆の拍手が起こった。そして頃合いを見て、彼女のつくったかき揚げが運ばれる。海老と三つ葉を使った大ぶりのものであるが、揚げたてのそれのおいしかったことといったら。鴨南ばんのおつゆも、クロウトはだしであった。

そこらへんのオバさんがつくったんじゃない。仕事も一流の、うんと素敵な彼女がよくこれだけのものをつくれるなあと、私は舌を巻いたのである。

今度引っ越しをする私であるが、キッチンはクッチーナのオープンキッチンにした。私はこの言葉を呪文のように唱える。

「美しい女は、料理をしている最中も美しい」

このことにもっと早く気づいていたら、あのアパートで、あんなに頑張らなかったわ。ひとつのコンロで、スープと酢豚をつくったケナゲな私。しかし努力に見合う成果は何も得られなかった。まず女は外で男に金を遣わせる女になる。そしていずれ時々は何かをつくってやる。あくまでも努力してるところを見せちゃダメ。暑苦しい料理と女はいちばん男に嫌われるんだから。

美女への道

サクラザワ・ショック！

出産やら引っ越しが重なって、私は急にビンボーになった。買いたいものがあっても、ベビーシッター代のことや、新しい部屋に入れるB&Bの家具のことを考えるとひるんでしまう。そんなわけで、最近お洋服をほとんど買っていない。好き放題お買い物をしていた、このあいだの日々がまるで夢みたいだ。

が、私は久しぶりのこのビンボー生活を、何とか楽しもうと思う。こんなのは若いお勤め時代以来だわ。あの頃は本当に着ていくものに苦労して、次の日の待ち合わせのために必死でアイロンをかけたりしたもんだわさ。

あの時の私とは違う。見よ、寝室をはみ出し、仕事場の通販で買った〝百五十着収納〟のラックからもはみ出している、この衣裳の数々！　タグが付いたものだっていっぱいある。

私はこの中から、今年活躍しそうなものを選び出した。やっぱり白い色のものですね。二年前に買って、ほとんど着なかったレザーのジャケットとスカート。上下着こなす自信はないから、別々にして使いこなそう。ところどころサテンを配したワンピースもあった。

始末に困るのが、おととしの茶色ブームの時、大量に買ったもんだ。今年も茶色を着ることがあるが、白に似合う薄いベージュである。流行が去ってみると、これらの茶色はババくさい。リサイクルショップというところへ持って行こうかしらん。

あらら、シルクの薄いコートもある。タグ付きです。これはおそらく、下にタンクトップぐらいで、ふわーっと羽織るのであろう。私のように、二の腕の肉がはみ出している人はどうしたらいいのか。が、なんとかしよう。

私の定番、紺のジャケットは、それこそ売りたいぐらいゴロゴロ出てきた。だらしなくハンガーにかけてたもんで、肩のところにホコリと猫っ毛がついている。クリーニングに出して、こういうのもちゃんと愛用しなくちゃね。

ちょっとひと息入れて、毎号愛読している「ギンザ」を開いた。おしゃれ名人は最近何を買ったかという特集である。

日舞を一緒のところで習っている牧瀬里穂ちゃんは、相変わらずのセンスの良さ。この人は普段着の私服も可愛くて、本当におしゃれということがわかる。

そして私がショックを受けたのは、漫画家の桜沢エリカさんであった。彼女とはパーティで一度お目にかかったことがあるが、背がすらりとした美人である。しかもすっごいおしゃれさんであった。最近、女性の作家や漫画家でも美人という人はかなりいる。が、センスということになると首をかしげてしまう人が多い。ものすごいベストセラー作家でも、ケチ、というよりもお金の遣い方がわからず質素に暮らしている人が多い。

桜沢さんは、ガリアーノの黒レースのワンピースや、十センチのピンヒールのマノロ ブラニク（九万六千円也！）なんかをラクラクと着こなしてしまうんだ。

大人の女性で、お金をうんと稼いでて、しかも美人でスタイルが良く、すっごいおしゃれ、という人はいるようで実はいない。ものを書く世界には皆無だと思っていた私には、驚きであった。

いいな、いいな。桜沢さんはすっごくモテるだろう。何十万円もするバンビの模様のワンピーを着こなせる人って、こういう人なんだワ。本当に羨ましい……。

ところで読者の人たちはこう思うかもしれない。美人でお金があるんだったら、芸能人だって同じじゃん。芸能人だっていっぱい服が買えて羨ましいよ……。

いいや、違うと私は言いたい。私は仕事柄、芸能人と何人か会うことがあるが、マキセみたいなおしゃれなコは、珍しい部類に入るということがわかった。たいていスタイリストがついて、あれこれやってくれているので、コーディネイト能力が止まった人もいる。しかも芸能人が可哀相なところは、かなり規制がある。プロダクションやファンが作り上げたイメージというも

いが、
パーティや試写会に行けば、上から下まで撮られて女性誌のグラビアに載る。誉められれば
のがあって、冒険出来ない人も多い。

「靴とのコーディネイトがへん」
なんてビシビシ書かれる。
それにたえず人の目やカメラを意識したおしゃれというのも、つらいものがあるだろう。中
にはファッションリーダーの名称をつけられたばかりに、いつもガチガチに決めている人もい
るが、ああいうのも大変だろうなあと思う。
やはり桜沢さんのようなポジションで、しかもお金持ちというのがいちばん楽しめる。ゴシ
ップ週刊誌には追いかけられることはないけれど、パーティでは華になるというポジションで
すね。
彼女を見ていると、仕事を持っている、それが成功しているって何ていいんだろうとつくづ
く思う。
最近巷では、〝オリーブおばさん〟という言葉がある。しかし、ちょっとひとくせもふたく
せもあるおばさんの少女趣味、古着ファッションというのは見ていてつらい。それでファッシ
ョンについて説教垂れるから腹が立つ。やっぱり大人のラブリーは、クロエの子鹿のワンピー
が着こなせなくては。

お買い物モード突入！

前回の最近買い物をしなくなったという話、訂正します。

海外旅行に出かけた時、私はいつも自分に言い聞かせる。

「今回は何も買わない。おいしいものを食べたり、ナンカ見るだけにする！」

最初の三日ぐらいはこれを守る。が、ひとつの店で何か買うともう歯止めがきかなくなる。

もう、いつもどおり買い物しまくる。

　これって、誰もが経験することだと思う。

　私は今、倹約しなきゃいけないいんだ。もうお金は遣わない、買い物しない、と固く戒めていた私であったが、青山の「グッチ」で、革のスカートを買ったのをきっかけに、あとはもう雪崩のごとく、お買い物モードに入ってしまった。

似ているようでも、昨年と今年のお洋服は違う。そんなことより何よりも、いろんな売り場から可愛いものの、素敵なものが私を手招きしている。

気づいたら、うちの中は買い物袋がいっぱい。

「ああ、私って、どうしてこんなに意志が弱いんだろう」

自己嫌悪に陥ってしまった。

ところが、上には上がいるものである。

先週のことである。さるフレンチレストランで、テツオの編集長就任ディナーが行われた。その時、サイモンさんがSさんという女性を連れてきたのだ。

Sさんは、元「アンアン」のスタイリストをしていた女性で、ヘアメイクの藤原美智子さんとウリふたつの美人である。彼女はかつて香港の大富豪と結婚していたという過去を持つ。香港在住のスーパーリッチな女性ということで、テレビで見た人もいるかもしれない。

水色のチャイナドレスを着ていたが、靴がマノロ ブラニクであった。そう、先週私が嫉妬した、かの桜沢エリカさんが履いていたあれよ。爪先のところにお花がついている、もの凄くラブリーなサンダル。十センチぐらいのピンヒールで、体重制限がある靴だ。私は一生履くことが出来ない、きゃしゃな靴である。

おまけに宝石がすごい。黒真珠、ダイヤの指輪、アクアマリーンのブレスレット……と書くと、いかにもお金持ちのオバさんっぽいが、元々スタイリストなので、どのデザインも凝っていてしゃれている。

「こんなに大きいダイヤでも、こんなに可愛いものがあるのね」

と「ギンザ」編集長のヨドガワさんが感心していた。ちなみにSさんは、ヨドガワさんの昔からの友人で、「ギンザ」において香港特集のナビゲーターもつとめている。ヨドガワさんに言わせると、Sさんは、

「日本でいちばんエルメスを持っている人」

なんだそうだ。うちに行ったら、ショッピングバッグのごとく、ケリーやバーキンが無造作に置いてあったという。

「でもこの頃は、そんなにお買い物をしていないわ」

とSさん。

「月に二百万ぐらいしか買ってないもの」

その言葉にみんな驚きの声をあげる。大富豪の奥さんだった時は、月に六百万円遣っていたそうだ。

「どうやったら、六百万遣うことが出来るの」

とサイモンさんが尋ねた。

「あのね、買い物だけしてるの。朝ご飯を食べて、お化粧すると車が来る。その車に乗って、いろんなお店に行くと一日が過ぎていくの」

いっぺんでいいから、そんな生活をしてみたいと、女たちはため息をついた。

彼女は私と同じ歳であるが、若くみえるしすっごく綺麗。昔も今も、恋人がいなかったことはないという。もの凄くモテるみたいだ。

私は思った。買うことの活力が、彼女にこのような魅力を与えているんだ。やっぱりビンボーくさいことをしていると、ビンボーくさい女になってしまう。

自分でも洋服が好きで、ギャラのほとんどは洋服代に消えてしまうという女優さんと、ケチして洋服はいつもリース、という女優さんとでは、テレビやグラビアに出た時すごい差がつくのと同じだ。どんなに腕利きのスタイリストがついていようと、買い物をしない女は、洋服を着こなす能力が弱ってしまう。

「そんなことといっても、お金持ちの女にしか出来ないことじゃない」

などと言ってはいけない。Sさんにしても、昔はふつうの女のコだったんだ。徳島の田舎（なんとサイモンさんの高校の先輩である）から出てきて、おしゃれとセンスを身につけていった。パワーとオーラがある人だったから、大富豪のジュニアも魅せられたに違いない。

そうよ、そうよ、お買い物をすることで、女は不思議なパワーをもらうのである。このところウツウツとしていた私であったが、グッチやダナ　キャランでお買い物をしたとたん、急に元気になったではないか。帰りに友人と、表参道のカフェに行き、初夏の風にあたりながらアイスティを飲むと、しみじみ幸せだと思った。

私の友人は若いからお金がない。だからグッチで、小さな財布だけ買っていた。でも、やはりとても幸せな気分と言った。

私とサイモンさんは、近いうちにSさんに香港に連れていってもらうつもり。よーし、本気を出して買いまくるぞ。

パーティ嫌い、返上！

最近ずっと家でくすぶっていたので（誰がじゃ？）、派手なところへ行きたくてたまらなくなってきた。

家に来ていた招待状をいろいろと見る。いつもならばほとんど欠席の方に○をつけて出すのであるが、ひとつ目をひいたものがあった。フェレがイタリアンワインメーカーのボトルとラベルをデザインして、そのお披露目パーティである。

ブラックタイで着席ディナーとある。うーん、ゴージャスで派手っぽそう。私は勇気を出して出席することにした。

「でもハヤシさん、何を着てくんですか」

と秘書のハタケヤマ。

ブラックタイと指定のある場合、男性はタキシード、女性はイブニングドレスである。私はイブニングドレスの代わりに、着物にすることもある。が、ここのところ忙しくて、とても着物を着る余裕はない。着物だと小物を揃えたり、襟を付けたり、着付けをしたり、とすごく時間をとられる。が、私だってイブニングドレスぐらい持ってるわよ。三年前、スイスのチューリッヒで買った、ダナ キャランの黒のイブニング。胸が大きく開き、肩がむき出しになったデザインでとてもセクシーなの。しかし一緒に行った友人は悲しげに目を伏せた。

「ハヤシさん、そのドレスを着る前に、ダンベルをした方が……」

つまり二の腕が、たっぷんたっぷんしているということらしい。

私はあれから少しは努力してきた。が、すぐに気づいた。ダンベルして痩せるより、隠す方がずっと早い、ということをだ。そんなわけで私は、黒のオーガンジーストールで、肩をおおうことにした。

が、会場に行ったらびっくりした。ノーストラップのイブニングの女性たちが何人もいらっしゃるではないか。肩や腕にはもちろんお肉がついていないし、すごく綺麗。肌は艶々している。おまけにドレスは、私みたいに古いもんじゃない。新作のフェレのイブニングである。芸能人でもない。叶姉妹でもない。いったいどういう方が、こんなドレスをお召しなのだろう。

行儀が悪いことであるが、私はたまたま来ていた知り合いに尋ねた。

「ねぇ、今、あなたが話していた綺麗な人、いったい誰なの」

「○○会社の社長夫人よ」

「○○さんのお嬢さん」

そうかぁ、ブランドの新作はこういう方が着るのかぁ……。

よく女性誌の「パーティファッション特集」で、

「パーティというと黒、というのはもう古い。もっと華やかな色をまといましょう」

というコメントが載っている。確かに夜の黒というのはよく映えるし、材料のいいものだったら光沢もいい感じ。けれども真っ赤なドレスやグリーン、ベージュというのはとても目立つしカッコいい。しかしこういうものは人々の印象に残るから、何度も着られないだろう。何枚かイブニングを持っていなくてはならない。

さてパーティであったが、とてもとても楽しかった。自意識過剰の私は、長いこと自分のことをパーティ嫌いだと思っていたから、これは意外なことであった。

「私は本当はジミな性格だもん。派手っちいところは苦手なんだもん」

といじいじして、そのくせ「パーティファッション拝見」なんか見ては、

「私はこういう人たちと、住む世界が違うんだもん」

と拗ねていた私。もう大人になって、知り合いも増えて、人とのつき合い方もずっとうまくなっているはずだものね。これからはもっと出かけてもいいかしらん。いろんな人から、

「ハヤシさんがパーティに来るなんて珍しいね」

と声をかけられたぐらいだから、私のパーティ嫌いというのは、よっぽど知られていたらしい。が、これは着席式のディナーだから楽しかったのかも。私は入れ替わり立ち替わり、いろんな人と会ってお喋りし、そして頃合いを見はからって「じゃ、また」「そのうち」とサヨナラを言う、ビュッフェ式がどうも馴染めない。

ところでさ、ここでちょっと自慢をしてもいいかしらん。友人から電話がかかってきた。

「ハヤシさんの出産祝い、いい男だけで集まってパーティを開くからね」

何でも二十人以上集まってくれるとか。そのメンバーの豪華さといったら、そりゃ凄いもんだわよ。みんなの間に企画書がまわって準備がすすめられているとか……。うっ、うっ、嬉しい。もうひとつ大自慢してもいいかしら。サッカーの中田選手とは、ちらっと会ったぐらいの仲だけれども、な、なんと彼からお祝いのプレゼントが。イタリアで彼が買ってきてくれたベビー服であった。

うっ、うっ、嬉しい。なんかこの頃、女としての活力が満ちてきたという感じであろうか。パーティにも行こう。デイトもしよう。もうひと花、ふた花咲かせたる！

遺伝するファッション

ユーコちゃんと久しぶりに会った。

最後に会ったのは昨年のことだったが、今年大学を出た彼女は、ファッションメーカーに勤める社会人だ。

雰囲気ががらりと変わったのには驚いた。彼女はうんといいところのお嬢さまなので、学生の時はどこかしらコンサバのにおいを残していたのであるが、今はすっかりモード系だ。セミロングだった髪をベリーショートにしているが、それもすごく可愛い。自社のニットに、ドリス ヴァン ノッテン（バーゲンで死ぬほどの覚悟で買ったそうだ）のスカート、手には、くちゃくちゃと革が古くなった、ケリータイプのバッグを持っている。これは本物ではないが、お母さまのお下がりだそうだ。とてもセンスのいいユーコちゃんであるが、これがどうしてつく

られたのかと、私は首をかしげる。

なぜならば彼女の環境から考えて、「ヴァンサンカン」系になっても少しも不思議ではないからだ。事実、彼女と知り合ったのは、ヴァンサンカン系おハイソの牙城ともいうべき友人の家で、彼女はここでフランス語を習っていたのである。彼女の行っていた学校も、超お嬢さま学校だ。偶然、先日、ブラックタイという指定付きのディナーパーティで、彼女のお母さまにお会いした。

「娘がいつもお世話になりまして……」

と声をかけてくださったママは、ヒェーッと息を呑むほどの美しさ、エレガントさ。イブニングドレスを着慣れている人独特の貫禄があたりに漂っていた。本当に素敵な人であったが、このママと、あのモード系の女のコがなかなか結びつかない。事実、ユーコちゃんのお姉さんは、とてもブランド好きだということである。

「あなたみたいなお嬢さまって、普通モード系にならないんじゃないの」

私が尋ねたところ、彼女はこんな風に分析した。子どもの頃から、親にとても厳しく育てられた。他の同級生のようにお小遣いをあまり貰えなかったので、ずうっとアルバイトをしていた。動きやすい服、汚れても構わない格好ばかりだった。お金もない、でもおしゃれはしたい、という心が古着やジーンズに向かわせたそうだ。

つまり彼女の反骨精神、ただのお嬢さまになりたくないという気持ちが、ファッションセンスを磨いたのではなかろうか。他のお嬢さまのようにブランド品を持ったり、着たりするだけの生活を、彼女は知らず知らずのうちに拒否したのだ。

次の日はマミコさんに会った。彼女はユーコちゃんよりやや年上でヒトヅマをしている。睫毛の長い大きな目、真っ白い肌、小さな唇と、まるで少女漫画から抜け出してきたような顔。超プリティな女性だ。

そして彼女もまたモード系で、いつもコム デ ギャルソンを着ている。

「あなただったら、ラブリーな服も似合いそう」

と言ったところ、そんなことはない、と否定された。甘い服を着ると、顔の甘さがますます強調されるようで嫌なんだそうだ。なるほどなあ、と思った。彼女みたいな顔立ちに、今年流行のパフスリーブや花柄は似合いすぎて、かえってへんかもしれない。もし、某ラブリーブランドの服なんか着たら目も当てられなくなるだろう。コム デやコキュのハードさが、彼女の愛らしさを引き締めているわけだ。といっても、彼女が着るとコム デもまるっきり別のものになるから面白い。つい先日、テツオと三人でお茶をしたところ、彼もマミコさんの着ているワンピースを見て、

「へぇー、それもギャルソンなんだ」

と驚いていた。着る人の個性が服の個性を越えた、いい例であろう。

こういうことを言うと、どこかのファッションジャーナリストみたいで恥ずかしいのである

が、洋服というのはその人の生き方である。どういう自分に見せたいか、ということはすなわち、どう生きたいかということである。

ストリート系が多い原宿でも、ラブリー系は結構いる。時々そうした女のコが、連れ立って道を歩いていることがある。ペチコートのたっぷり入った、花柄のフレアスカートのワンピースをこの季節よく着ている。だからすごくカサ高い。こうした女のコが三人歩いていると前を塞がれてしまうので通れない。急いでいる時など、イライラする。しかし、私は彼女たちを見ていると、性格のいい人たちなんだろうなあと思う。こんな夢いっぱいの服を好きな人に、悪い人はいないはずだ。恋だとか、ラブストーリーや、人の善意をきっと無邪気に信じているに違いない。こういう服をついに好きになれなかった私は、きっとひねくれていたんだと思う。決して皮肉ではなしに。

「それにしてもさー、ラブリー系って遺伝するんだよなー」

とテツオ。そういえばラブリー系を着ているママって、幼い娘にも必ずラブリー系を着せている。

「ああいうラブリーな服って、女の根元的なものを刺激するからね。娘も自分みたいに素直な女のコっぽい人になって欲しいと思うんじゃないの」

だが、娘は母のそういう好みや願いから脱皮して、自分独自のものを身につけるはずだ。母と似た人生を選ぶか、選ばないか、やがて服に表れてくる。

あなたのために、守り通した〝お店の操〟

仲のいい友人とおいしいものを食べるというのは、私の人生における大切なことのベスト3に入る。そのためにはお金を遣おうと、デブになっても構わない。このところ忙しくて、なかなか夜遊びが出来なかった私であるが、徐々に〝再デビュー〟への道をたどっている。

当然のことであるが、流行の店が私は大好き。まず女三人で出かけたところは、西麻布に新しく出来た焼肉屋さんである。この店は外見もなかなかしゃれているし、何よりも味がすごくいい。前もって頼んでおくと、前菜を何皿も出してくれるのだ。人に聞いたところによると、ここはすごく芸能人が多いという。夜の遅い芸能人は焼肉屋ととても縁が深い。よって彼らが足繁く通ってくるということは、とてもおいしいという証拠だ。

私たちは奥の隅の方の席に座っていたのであるが、隣のテーブルも空いていた。私は長年の

勘で、

「きっとこの席には、有名人が来る！」

と感じた。私の予想通り、しばらくたってから店長が私の連れ（プロデューサー）にささやいた。

「この席、すぐに○○さんが来るけど……」

何か不都合なことはありませんか、という意味らしい。が、不都合があるのは女優の○○さんの方であろう。せっかく仲間と楽しいお食事にやってきたのに、隣の席にハヤシマリコをはじめ、こうるさい女が三人いたら、さぞかし嫌に違いない。

やがてスッピンに眼鏡をかけた、顔見知りの○○さんがやってきた。私たちを見て挨拶をしたものの、すぐに近くの席に移っていった。

「逃げたのね」

帰り際にからかったら、

「そんなことありませんよ。人数が増えたんです」

だと。が、こんなに気を遣わせた私が、かなりイヤになった。人間、焼肉食べる時ぐらい気楽にいたいよね。ごめんね。だけどこんな店に来るあなたも悪いのよ。

次の日、作曲家の三枝成彰さんの事務所へ行った。最近、東北地方の某市の子守歌をつくった私たち。その打ち合わせに市長さんもいらしていた。打ち合わせが終わった後は、皆で六本木の「金魚」へ行く。コンピューターを駆使した舞台を見せる、大人気のショウパブである。

ショウがはねてから車で白金へ向かった。

「今さ、いちばんカッコいいレストランへ行こうよ」

こういう情報に詳しい三枝さんが言った。

「もうありとあらゆる店に行った遊び人たちが、みんな通ってるよ。いつも有名人でいっぱいだよ」

白金の高速の下にあるその店は、ラーメン屋の隣り、スダレがかかった木造の建物である。外にも机と椅子が置かれていて、一見チープな建物。中はおしゃれな炉端焼き居酒屋、といった風情であろうか。料理は冷やしトマト、山菜のクルミ和え、ネギのごまよごし。そのうちに炭火で小魚やタコを焼いてくれる。このひなびた、ちょっと野暮ったいところが、都会人のおしゃれ心を刺激したのであろう。しかし東北の市長さんはどう感じたかしらん……。

「あの、おたくの方にこういう店、ありませんか」

と聞いたら、

「うちにもまだ炉端が残ってて、こういうものをよく焼きます」

だって。なんかおかしい。

そして次の日、テツオとランチを食べに行った。昔からごひいきの青山のイタリアンレストランだ。ここは昼間も手を抜かず、ランチも最高だ。私はテツオにこんな話をした。

何年か前、ここである男の人とデイトをした。

「ハヤシさん、この店はよく来るの」

「まあね」

「いい店だね。料理もおいしいし」

などという会話があったのを憶えている。この人とはデイトを重ねたものの、このところすっかり疎遠になっている。ところがある日、食事にやってきてふと鏡を見たら、離れた席に座っている彼が見えるではないか。若い女が一緒であった。立ち上がる時ちらっと見たら、ゼブラ柄のスーツを着ていた。

ゼブラ柄よ、ゼブラ柄！　しかもスーッ！　それだけでどれだけ趣味が悪い女かわかるだろう。

「全くああいうことをされると、女として頭にくるよ」

と私。

「そうかなあ」

「あったり前でしょう。初めてのデイトの時に使った店なのよ。それなのにちゃっかり、今度は若い女を連れてきてるのよ。いくら極悪非道のあんただって、こんなことはしないでしょう」

「男だったら、するんじゃないのォ」

とテツオ。いくら別の女と来た店だって、利用出来そうな店は活用するんだそうだ。こういう男のいい加減さが、私は許せない。女はもっとお店に対して潔癖である。操をたてているといってもいい。見習って欲しいものだ。

パーティの悪夢

ニンシンしてから、一年近く続いた地味な日々は、はっきりと私を変えた。急に派手な場所が好きになったのである。人は意外に思うらしいのであるが、私はそれまでかなりのパーティ嫌いであった。文壇関係のパーティでも、めったに行ったことがない。「ヴァンサンカン」や「クラッシィ」などの、〝パーティファッション拝見〟のスナップを見るたびに、私とは関係ない世界だわ、フンと言ってたっけ。

その私が、つい先日、着席式のブラックタイパーティに出たことはお話ししたと思う。

「お料理もおいしかったし、結構たのしかったなぁー」

と思い出していたところ、仲良しのクミさんから電話がかかってきた。

「ブラックタイの、チャリティ・ディナーがあるんだけど、いらっしゃらない」

クミさんは、クリスチャン・ディオールの広報ディレクターをしている。「アンアン」の読者にはなじみがないかもしれないが、「ヴァンサンカン」「家庭画報」等の、おハイソコンサバ系雑誌のスターと言ってもよい。日本人離れしたゴージャスな美貌に、英語、フランス語を自由に操る国際感覚。日本でいちばんイブニングドレスが似合う女性である。私は声楽のお稽古を一緒にしていることもあり、たびたびクミさんのおうちへ行くが、そこでも、すごい世界が展開されているのである。居間は大理石の床で、クミさんはおうちにいる時も完璧にメイクをし、ハイヒールを履いているのだ。うちにいる時もハイヒール！　ネコの毛がついた五年前のワンピースをズルズルと着ている私とは、何という違いであろうか。

とにかくそのクミさんから、

「宮さまもいらっしゃるパーティだから、フォーマルでね」

と言われたのである。私はいろいろ考えた。たった一枚の黒のイブニングドレスは、このあいだのパーティで着てしまった。それならば、ダナの黒ラメのミニワンピースにしようかしらん。このワンピースは随分前に買ったものであるが、シンプルな形だから今着ても大丈夫。これに同じ素材を使ったジャケットでも羽織りましょう。するとうちの秘書が、

「すっごく暑苦しそう」

と言った。じゃ、ジャケットをやめて、オーガンジーのショールをまとおーっと。どうせ私なんか、みんな見てないんだしさあ。

とりあえず美容院へ行く。

「パーティに行くから、派手な形にブロウしてね」

鏡の前に「ヴァンサンカン」が置いてあった。いろんな雑誌とつき合いがあり、たいていの女性誌は送られてくるが、この「ヴァンサンカン」だけは、私と全く無縁のものである。が、私は「怖いもの見たさ」といおうか、この超ファンタジーの世界が結構好きで、美容院へ行くと手にとって見てしまうのだ。

今月の特集は「憧れのスーパー読者」だって。「ヴァンサンカン」の読者は、美しくおハイソな方ばかりという記事が並んでいる。その中に、「出来上がったばかりのソワレを着て、パーティへ」というグラビアがあった。それが裾をひきずるような本格的なものなのだ。

「えーっ、こういうもん着ていくわけ」

私は巻末の〝パーティファッション拝見〟のページをめくる。最近のパーティに来ていた人たちの格好が出ている。それがみんな裾までの豪華なものばかりなのだ。いくら人が見ていないといっても、ミニのワンピースで行ったら恥をかきそう。

「どうしよう、どうしよう」

大あわてで家へ帰ってきて、クローゼットの中をひっくり返す。大昔に買ったシャネルのサテンのプリーツスカートは、確か足首までの長いやつだったわ……。あー、でも私のだらしなさがたたって、くちゃくちゃになってる。他にロングはなかったっけ。こっちのスカートはすぐ着られそうなのだが、合うジャケットがない……。どうしよう、どうしよう……。時間は迫ってくる。着ていくものはない。女ならば経験あると思うが、悪夢のような時間だ。どんどん時間が迫ってくる。その時、私の指にひっかかるものがあった。ジョーゼットのロングコートである。薄い生地で出来たそれは、確か、

「コートドレスとして着てください」

とお店の人が言ってたような気がする。普段着るには雰囲気が違っていて、袖を通す機会もなくタグがついたままだ。私は黒ラメのミニドレスの上にふわっと羽織り、ベルトを締めた。

「これで、どうかしら」

「私は見たことないけど、ハヤシさんがいいと思うならいいんじゃないですか」

と冷たく言い放つ秘書。が、もう時間がない。そうよ、そうよ、パーティファッションなんて好きにしていいのよ。私なんか物書きなんだから、少々アヴァンギャルドな格好したって許してくれるわ。それでも会場に着いたとたん、どっと押し寄せてくる不安。すると向こうから、総ラメのイブニングに、オーストリッチのショールをまとった、花井幸子さんが歩いていらした。そうだ、本職の人に聞いてみれば間違いない。

「ハナイさん、これ着てていいの。おかしいなら脱ぐけど……」

「あら、着てていいのよ。素敵じゃない」

私は安堵のあまり、思わず涙ぐみそうになったのです。

元香港マダム・Sさんちへ行った

このあいだお話しした、元香港マダムのSさんのところへ遊びに出かけた。

何しろ、日本でいちばんエルメスを持っている人だ。エルメスばかりではない、プラダやシャネルもハンパじゃない数持っているという。それなりの心構えで行かなくてはいけないだろう。私はケーキを買い、グッチのバッグを持って都内の高級マンションを訪ねた。

まず玄関を開ける。靴箱に入り切れないぐらいの、すごい数の靴が並んでいた。私がおそらく一生履くことがないであろうマノロ ブラニクのピンヒールもいっぱいだ。

このマンションは外国人向けにつくられているので、一部屋がとても大きい。その一室を彼女は衣裳部屋にしていた。もちろんこれまた日本離れしたサイズのクローゼットもあるのだが、それに収まるはずがない。


香港マダムは、バブルがはじけても元気なんだって。

噂には聞いていたが、エルメスはずら～っと二段並んでいた。一段目はケリー、二段目はバーキンである。が、最近はフェンディにも凝っている。三段目はコーナーになっている。日本でも、あっという間に売れてしまったという幻のデニムのものや、ビーズのパッチワークのものもいっぱい。もちろんシャネルのバッグは、やわらかい分、それこそ積み重なって並んでいるぞ。

次に洋服のラックを見て、それこそ私はめまいがしそうになった。グッチのオーストリッチのジャケット、エルメスの革ジャケットなんかが無造作にかけられているではないか。私は毛皮があまり好きではないが、フェンディのコートや、豹のロングコートにはやっぱりため息が出る。

Sさんは日本へ帰ってきたので、何かお仕事をしようかな～と考えているという。うんと高級なリサイクルショップを計画したのだが、あまりうまくいかなかったそうだ。

「だったら、自分のものを売ればいいじゃない。これだけあったら、店が二軒オープン出来るよ」

私が言うと、

「それも考えたけど、やっぱり嫌なの」

とSさん。

「だって、四十万、五十万で買ったものが、たった三万円とか四万円になっちゃうのよ。そんなの服が可哀想じゃない」

なるほどなあ、と思った。私が服を溜め込む理由もそこにある。大切に使ってくれそうな身内や知人にタダであげるのはいいけれど、ちょっとのお金で他人に貰われていくのはせつないい気がするの。

一緒に行った友人と三人、広いリビングでお茶をいただいた。彼女がコーヒーを淹れている間、私たちは飾り棚をじろじろ見る。

「ねえ、ねえ、これって、本物かしら」

友人の手には親指の先ぐらいのダイヤの指輪が光っている。

「まさかあ、ニセものだよ。本物だったら、こんな絵皿の上にぽんと置いたりしないよ。それに大き過ぎるもの」

ところが彼女に聞くと、そのダイヤも、一緒に置いてある真珠もルビーもみんな本物だということだ。私はこんなにたくさんあるなら、一個ぐらい呑み込んで帰ってもわからないのではないかとチラッと思ったりした……。

Sさんは、仲よしだった香港マダムの話をしてくれる。大富豪グループがあって、その奥さんたちを香港マダムと呼ぶのであるが、ほとんどが三十代。みんな留学経験があるので英語はぺらぺら、仕事を必ずといっていいぐらい持っている。ただの有閑マダムは無能と思われるのだそうだ。といっても、人に使われるようなことはしない。自分で何かビジネスを起こすのだそうだ。

「でもね、ご主人の財産がハンパじゃないからね。買い物は思いっきりするわね。一回の買い物で四千万使った人もいるわ」

「す、すごい」

「でも別の友人は、ご主人のところへ水商売の女性から電話があったっていうことだけで怒ってね、あてつけにヴァン・クリーフへ行ったのよ。そしてダイヤのネックレスとイブニングを買ったんだけど、総額が一億二千万円」

こんな話になると、声も出ない。

ところでSさんの階下に、最近北川悦吏子さんが引っ越してきた。お茶の後、皆でこちらの方へ遊びに行く。玄関を開ける。Sさんのところと同じ間取りとは思えない。Sさんのところは、イタリア製のソファセットを置いて、洗練されてゴージャスなインテリアを演出しているのであるが、北川さんは小さなお嬢ちゃんのために、全面フローリングでいかにもアットホームな感じ。ダイニングテーブルの他はほとんど家具を置かず、お子さんをのびのびと遊ばせるようにしているのだ。置いてあるおもちゃが、かわゆい。

まことに対照的な二つの部屋、そして二つの女性の生き方。が、どちらもカッコいいぞ。世界を股にかけて、スーパーリッチな暮らしを楽しみ、恋もいっぱいしているSさん。そして仕事も成功し、温かい家庭も築いている北川さん。どちらを選ぶかと問われたら、どちらも欲しいと答えたい。恋も諦めたくないし、エルメスもフェンディも、もっともっと欲しい私なの。だけど淋しい時には家族が支えてくれる。とにかく私は欲張りなんだ。それが文句あっかと、高級マンションを後にした私である。女の生き方をいろいろ考えさせられたマンションであった。

ピアスバージン喪失

今日は私にとって、画期的な日であった。生まれて初めてピアスをしたのである。ジャーン！今までピアスをしていなかったのは、これといった信条があったわけではない。ただ〝痛そー〟という一言に尽きる。友人の中には、安いところでピアスをしたら、次の日に化膿してしまったという人もいて、それも原因のひとつとなった。私は本当に痛がりなんだ。

が、世の中を見よ。おしゃれな人は十人が十人、ダイヤのピアスをしているぞ。今どき大きなイヤリングをしている人は、よっぽど遅れている人、ということになっている。私はイヤリングをいっぱい持っていたのであるが、おかげでひとつもつけられない。

先日、おしゃれで有名な友人たちとお茶をしていたら、テレビの画面に女優の○○さんが映った。すると二人が声を揃えて言う。

おしゃれな人は必ず持ってるコキュのバッグ
今年買ったコムデのブラウス
これが問題の8年前のスカート
今年買ったコムデの靴

「こんなリングしているなんて、サイテー！」

彼女は愛らしく、白く丸い輪のリングをしていたのであるが、なるほどすごく野暮ったく見える。私もさっそくピアスにしようと決心した。

実は私にはすんごい宝物がある。ダイヤモンド・パーソナリティ賞のおまけとしていただいた、豪華なダイヤのピアスだ。きらきらと光って、とても綺麗。やはり本物は違うと思わせる光り方だ。あれをつけない、というのは間違ってる。

そんなわけで、私はさっそく知り合いの病院へ行き、穴を開けてもらった。ちょっとチクッとしたけれども、痛い、というほどではない。これならもっと早くやってもらえばよかった。

ピアスをした私は、すっかり得意になる。これで私も、やっと人並みになったっていうか、おしゃれ人間の仲間入りなのね。ひとりほくそ笑んでいたら、テツオから電話がかかってきた。

「何か、面白いことあるかしら」

「ある、ある」

テツオが意地悪気に嬉しそうに叫んだ。

「あんた、コム デ ギャルソンで白い靴買っただろ。それから店長に向かって、『私、八年前に買ったコム デのスカートがあるんだけど、どういう風にコーディネイトしようかしら』って言ったんだってな」

一緒に行った人が喋ったらしい。今年の四月、青山のコム デ ギャルソンが改装して、不思

議な空間が生まれた。夜でも青白い光線を放っているのだ。ガラス越しに手をついてそれを眺めていたら、

「みっともないことをするな」

と夫に怒られた。

言うまでもなく、コム デ ギャルソンの本店は、私にとって入りづらい場所ベスト3に入る。前を通るだけで怯えてしまうのだ。

「だったら今度、一緒に行ってあげるわ」

とファッション誌の編集者Aさんが言った。Aさんとコム デの店長さんはとても仲がいいんだそうだ。

なかなかそんな機会がなかったのであるが、先週二人で出掛けた折りに、Aさんが店に寄っていきましょうと誘ってくれたのである。雨が降っていた日のことで、私は例によって濡れてもいいような格好をしていた。とても〝コム デへ行く心構え〟が出来ていなかったのであるが、業界の実力者Aさんと一緒ならば何を恐れることがあろう。

案の定、店に入っていくと、店のあちこちから声をかけられた。もちろんAさんが。

「来てくださって嬉しいです」

私は緊張のあまり、つい見栄を張ってしまった。

「私、八年前のコム デのスカート持ってるんですけど、プリーツですごく可愛くて今年っぽ

いの。あれって、今年のものにどういう風にコーディネイトしたらいいのかしら」

八年前のこと、初めにして最後といっていいのであるが、撮影があった時にスタイリストの人が、コム デのスカートを組み合わせてくれたのである。そのオーガンジーの黒いプリーツスカートが可愛かったのでさっそく買った。それが、引っ越しの整理をしていたら出てきたのだ。これだけでも今年っぽいのであるが、もっともっと今年っぽくしたいと、私は店長さんに〝相談〟をもちかけたワケ。

「でも、その瞬間に、ハヤシさんのおしゃれ人生はすべて終わったね」

とテツオはおごそかに私に告げた。

「だってさぁ、おしゃれな人って、よくどこそこの五年前、十年前とかいって、古いものをうまくコーディネイトしてて、カッコいいじゃん。私、ああいうのにずっと憧れてたんだけど」

「でも流行もんは、毎年微妙に違うから、そういうことしちゃ絶対にダメ。今ね、そういうことをする人っていうのは、ビンボーくさくて、カッコ悪いってことになってるんだよ」

「いったい、そんなこと誰が決めたのよッ。ハヤシさんは、大変なことをしてしまったわけ？」

「世の中の流れがそうなっているわけ。石原都知事が言ったわけ？」

どうりでAさんと店長がヘンな顔をしていると思った。世の中の流れが、私の大きなイヤリングをガラクタに変え、私をカッコ悪い人にしてしまったのね。今の私の慰めは、さん然と輝くこのダイヤよ。世の中の流れが耳たぶにちゃんとあるぞ。文句あっか。

センチメンタル・フォト・ストーリー

引っ越しの整理をしていたら、出てくるわ、出てくるわ（というほど数は多くないが）、昔の彼の写真と手紙。

やっぱり長く独身を通していれば、それなりのことがあったのね、とつくづく思う。海外で暮らしていた男と、遠距離恋愛をしていた頃のエアメイルもいっぱい出てきて、私をつうんとせつなくさせるの。そういえば、この彼からの手紙を、当時テツオに見せたところ（あたりさわりのないものを選んでだけどね）、

「あんたは中学生と文通しているのか」

とせせら笑われた。確かにガテン系の彼は、字もヘタだったし漢字も知らなかった。あの時はテツオのことを「何てイヤな奴」と思ったけど、やはりこうして読むと字がヒドいわ……。

別の彼とのツーショットが出てきた。雪の中で二人で撮ったお気に入りの一枚。うんと大きく引き伸ばしたやつだ。こういうものは夫に見せられないので、秘書のハタケヤマに見せびらかす。

「わー、ハヤシさんの昔の彼ってハンサムなんですねー」

と言われて、私はすごく嬉しかった。

「ハヤシさんとすごくお似合いですよ。年まわりもいい感じ。見るからに仲よしの二人っていう写真ですよねー」

そうでしょう、そうでしょう、と私はすっかり嬉しくなった。私はマリアンなんかと違って、別れた男の悪口は絶対に言わない女である。そりゃ別離の直後は恨んだこともあるし、ワルグチをまわりに言ったこともある。けれども縁あって仲よくなった二人じゃないか。胸が張り裂けるぐらい好きになった男である。どうして悪口なんか言えようか。

少女の頃、私は恋愛小説をいっぱい読む想像過多の女のコだったが、現実は何ひとつ楽しいことが起こらなかった。いくら昔の、田舎の学校といっても、そろそろまわりではボーイフレンドが出来始める。中学生になったとたん、このあいだまで一緒にハナ垂らしてた友人が、男の子から手紙をもらったりする。それなのに私には何も起こらない。

ひとり胸を痛め、いろいろなことを考えたものだ。

私には一生、恋人なんか現れないんじゃないかしらん。「好き」とか「愛してる」なんて誰からも言ってもらえないんじゃないか。そんなことを考えると、悲しくて悲しくて、涙が出てきたものである。

ところが不思議なものね。年頃になればちゃんとそういう男の人が現れる。生まれて初めて恋人が出来た時、私はその人を質問責めにしたかった。

「私でいいの？　本当にいいの？」

彼の目に、私はどう映っているのかしらん。いくら恋する男の目で見ても、ぜい肉はぜい肉、垂れ目は垂れ目じゃないかしらん。しかし心から〝可愛い〟とか言ってくれちゃって、あの時は奇跡が起こったような気がしたなあ……。

彼と一緒に焼肉を食べる。うんとニンニクくさいゲップをしちゃった。そして彼のところへお泊まりする。酔っぱらってイビキをかいたみたい。次の日の朝、彼からそう言われた。けれども不思議なことに恋は続く。私にはどうしても解せなかった。

雪の中に一緒に写っている男の人、彼のことを考えると、今でも私は涙が出てきそうになる。あの頃の私は、奇跡がどこまでも続くものだろうかと彼の心を試そうとしたのだ。傲慢になっていたし、嫌われることをいっぱいした。そして本当に嫌われたのである。

彼からの別れの手紙も、ちゃんと保存してある。随分時間がたつのに、まだ読む勇気がない。ああ、あの頃の私に今の私の知恵があれば、悲しい結末は迎えなかったんじゃないかしらん……。が、甘い記憶ばかりではない。私がデブの頃の写真もいっぱい出てきた。今でもデブの部類に入るが、この頃の太り方といったらちょっと異常といってもいいぐらい。顔は二重顎だし、お腹のへんときたら新弟子検査クラスのお相撲さんだ。しつこいようだが、私は〝女ロバート・デ・ニーロ〟と呼ばれ、体重が十数キロ変動する。が、写真を見たところ、この十年ぐらいのうち七年は超デブのままでいたのね。

そんな感慨にふけっている最中、テツオから電話がかかってきた。

「あのさ、今度〝おしゃれ有名人のインテリア拝見〟っていうのに出てよ。嬉しいだろー、あんたが〝おしゃれ有名人〟なんだぜー」

いつもだったらこういう嫌味に腹を立てる私だが、素直に喜んだ。

「う、うれしい。苦節十年。私もやっと〝おしゃれ有名人〟って言われるようになったのね。ねぇ、テツオさん、昔の写真を見てたら、私ってすごいデブ。すごいダサイ。あんな私をよく『アンアン』のグラビアに出してくれたわね。連載持たせてくれたわねー。ありがとねー」

私の素直さに、さすがのテツオも驚いたようだ。

「お礼を言うなら、あの時の編集長○○さんに言ってよ」

そうか、○○さん、ありがとう。あの時の私を出してくれたなんて、初めて「愛してる」って言ってくれた男の人と同じぐらい感謝します。○○さんは女なんだけどさ。それにしても昔の写真見るって、本当に心が洗われる。謙虚になるし、やさしくなるわ。今日のこのページはいつもと違うでしょ。

ジャーン！　新居完成

皆さーん、お元気ですか。

私は今この原稿を、新居の仕事場で書いていますー。

生まれて初めて自分で考え、つくったおうち。このところずうっと、マンションだったから、一戸建てというのに住みたかった。嬉しいか、って言われれば確かに嬉しいが、ローンのことを考えると複雑な気分である。引っ越す前にちょっとテッオと見に行ったら、あの口の悪い男がふーんと黙り込んだ。

「こんなもん建てて、いったいどうやって金を返すつもりなんだ」

友だちだと思って、心配してくれてるのね。ここはそう大きくはないけれど、細部にうんと凝っている。お陽さまのさんさんと当たるパティオ、応接間は白い大理石の床に、白いしっく

インテリアに凝る人が、本当のお金持ちさます。

いの壁。それからイタリアのB&B社の白いソファ。商売道具の本を収めるところは、廊下の両脇につくってもらった。

建築家の人や建築会社の人にうんとよくしてもらってこんなことを言うのは失礼であるが、私というのは実は元々住むところにあまり固執しない人間である。食欲と買い物欲にあまりにも多大なエネルギーをとられるため、住への欲望がぽっかり空いてしまったというのが正しかろう。

大学生の頃は四畳半のアパートに住んでいたが、それはそれで楽しかった。丸井のローンでベッドを買ったもののスペースがなく、足半分は押し入れの下段につっこんだ。そして上段に花模様の風呂敷をかけ、小物入れにしたのが私のインテリアの第一歩かもしれない。

その後は六畳ひと間のトイレ付き、その次は風呂トイレ付きの1DK、その後は東麻布の1LDKマンション、原宿の3LDKマンションと、確実にステップアップをとげたが、どの住居にも共通していることはもの凄く散らかしていたことだ。床が見えていたことがあまりない。ひとりの男の人と長くつき合ったのも、このだらしない性格が原因ではないかと思っている。何ていおうか、こういう汚い部屋では、突発事故が起こらないのだ。イレギュラーの男の人に、突然君の部屋に行きたいようなことをほのめかされても断るしかないというひどさだったのである。

そして、私は気づいた。うちを建てる、インテリアを変えるというのは、それまでのその人の美意識、教養の集大成なのね。花模様の風呂敷をカーテン代わりに使っていた女にとっちゃ、むごいことだったのね。

しかし、私は頑張りました。

「インテリアスタイリストを紹介しようか」

という人もいたが、きっぱりと断った。これから私の住んでいくうちである。もし趣味が悪いと言われたら、それは私の趣味が悪いことに他ならない。が、それも私自身なのである。

それにしても、と私は思う。住むことに関して、どうして生まれつきセンスのいい人と悪い人がいるのであろうか。こう言っちゃナンだが、着るもののセンスというものはうんと努力して勉強すれば、ある程度のところまでいくと思う。が、住んでいるところのセンスというのは、大人になってからの付け焼き刃ではどうしようもない。

インテリア雑誌を開くと、若い夫婦がそうお金をかけていない小さなうちを建てている。あるいはマンションをリフォームする。が、配色だとか、家具がとても素敵だなあと思うことがしばしばある。あるいは若いクリエーターが、捨てられた家具を使い、自分で壁を塗ったりしている。これもとてもいい感じ。

昔、東麻布のマンションに住んでいた時のことだ。ここは当時、雑誌に何度も紹介されたぐらいしゃれた建物であった。働いている、しかもちょっと高所得の女性を対象につくられたものので、外側はコンクリート、ベランダは強化ガラスという、ひときわ目をひく外観であった。

床はもちろんフローリングで、壁紙は白。収納がとてもうまく出来ていたうえに、西ドイツ製の皿洗いも付いていたっけ。まあまあ売れているタレントさん、テキスタイルデザイナー、外資系のOL、スタイリストなんかが住んでいた。どこも同じ1LDKの間取りだったのに、それぞれみんな個性的に住んでいて、私はふうーんとうなった記憶がある。中でも印象的だったのが、織物作家をしている女性の部屋で、彼女はリビングルームをいっぱいに使って、織機を置いていたのである。それがとても美しいフォルムをしていて、部屋を知的に引き締めていた。

この私は、どう暮らしていたかって……。六畳の寝室は洋服でいっぱいになり、それだけでつぶれてしまった。ベッドをリビングに移動したのが間違いで、それが後の惨状へとつながっていくのである。あの頃も私はネコを飼っていて、ベランダから出入り自由にさせていた。そのため泥棒に入られたことがあるが、あまりの散らかりように警察を呼んだのはそれから一週間後である。

私はずうっと長いこと考えていた。収納のいっぱいある自分のうちを持てたら、私は決して散らかすことをしないだろう。が、それが間違いだと気づいたのは、引っ越し二日目の今日である。ま、この家の詳しいことはいずれ「アンアン」の「インテリア特集号」で。

一日ボーズ

大人のカッコいい女といえば、やはりユーミンの名が真っ先に挙げられよう。

私はそう親しい、というわけではなく、大スターとファンの関係であるが、それでも仕事上何度か会うことがある。四年前は彼女のラジオ番組のゲストに招ばれて、金沢で一緒に過ごしたこともある。あの時のユーミンも素敵だったなあ。立ち居ふるまいが、私ら庶民クラスの女とはまるで違うのだ。前に魔性の女ナカセが言ったとおり、

「十五歳の時に、女のポジションでどこいらへんにいたかで、すべてが決まってしまう」

という法則は、彼女を見ていると真実だなあとつくづく思う。

経済的に恵まれたおうちに生まれ、目立っていて、才能があって、というユーミンは、少女の頃から六本木の「キャンティ」に出入りし、多くの有名人に可愛がってもらっていたみたい

だ。いわば女王となるべく帝王教育を授けてもらっていたわけである。

お姫さまから王女、そして女王というコースをたどった人は、いい意味で高慢でクールである。ごく自然に人を無視し、必要以上にベタベタしない。礼儀正しく愛想は悪くないけれど、なんとなくヒヤッとした感じは一朝一夕には出来ないものであろう。

ほら、私みたいにいろいろ下積みが長いとさあ、やたら人に気を遣い、かえって相手になめられる、という結果になってしまうの。だけどユーミンは違う。まわりの人たちが、彼女を仰ぎ見て、彼女に対して心をくだく。聡明なユーミンは、そういう人たちにきちんと接しているが、内心はどうもわからない。このサジ加減がものすごくカッコいいのである。

ま、それはともかくとして、今年もユーミンのコンサートへ行ってきた。柴門ふみさんも一緒だ。共に「恋の教祖」と呼ばれた人である。待ち合わせて代々木の体育館へ行く。いつものことながらあの体育館が満員だ。舞台はプールがしつらえられて、何かが始まるぞと期待でわくわくする。

そしてコンサートが始まった。「シャングリラ」と名づけられた今回のステージは、ロシアのサーカスを呼んで、空中ブランコ、シンクロナイズドスイミング、水を使ったショウなど、それこそめくるめく世界である。

途中でイルミネーションの輝く輿（こし）に乗ったユーミンが登場する。水中の光の輪の中を進むユーミン。紅白の小林幸子の百倍、いや千倍ぐらいの派手さである。おおっと息を呑むようなロシア人の美形が、ユーミンのために豪華な世界をつくりあげるのだ。

「さすがよねぇ、すっごいわよねぇ……」

傍らのサイモンさんも、ため息をついた。が、私は別のところを見、別の感心をしていた。

ユーミンは私と同い歳なのであるが、この体型は何ていったらいいのだろう。若いコーラスのコと、ステージ狭しと踊り歌うのであるが、すらりとしていて適度に筋肉がついた肢体は、ほれぼれするような美しさである。

「よし、私も頑張る。ユーミンに負けないような体になる」

と、私は強く誓ったのである。が、ここでテツオから茶々が入った。

「『負けない』っていうのは、図々しいんじゃないの」

彼はこのあいだ私が、

「目指せ、藤原紀香」

と言った時も、同じように注意をした。

「目指せ、って言ったってさあ、あんたの場合、まるっきりレベルも進む路線も違うんだからさあ」

「じゃ、何て言えばいいのよ。目標にする、って言えばいいの？」

「目標っていうのもどうもねぇ。とにかく全く違う次元の話なんだからさ」

じゃ、羨ましがらせていただいてます、って言えば文句はないんでしょ。

私はとにかく、ダイエットを始めることにした。実はこのあいだの引っ越しで、ダイエット食品、ならびにダイエット器具が山のように出てきたのである。中には通販の箱に入ったまま封を切っていないものもあった。どうして私はこうずぼらなのか。どうしてこう長続きしないのだろうか。

このところわりと続いているのが「階段ダイエット」というやつだ。どんな小さな用事でも階段を上がってその都度取りに行く。わが家は、階段、廊下を通って向こう側の仕事場へ行く仕組みである。下を通ってもいいのだが、私はわざわざ階段を上がる。爪先を立てるようにしてリズミカルに上がる。おかげでこの数日、ずうっと膝がガタガタしている。

「そんなのよりもさ、最近出たテレビゲームでいいものがあるのよ」

サイモンさんが教えてくれた。

「ダンスに合わせて、床に敷いたビニールの上のアルファベットを、指示通り踏むんだけどさ、汗びっしょりになって、すっごく体重が落ちるよ」

私が次の日、キディランドへ行ったのは言うまでもない。それは一式、わが家にある。が、動かしていない。わが家の電気係である夫が、怒って接続してくれないのだ。

「またこんなもの買ってきて。君の場合、三日ボーズどころか一日ボーズなんだぞ。いったいどうするつもりなんだ」

そんなわけで今も私の手元にある。可哀相な私の向上心。いつもこうやってつぶれてしまうのね。

アオノリ女

暑くなりましたけど、皆さんお元気でしょうか。バカンスのお供に林真理子著「美女入門」買っていただけましたでしょうか。これ一冊あれば、誰でも美人になり、誰でもモテるようになると評判です。

こっぱずかしいほど大きな写真が新聞に載った次の日に、テツオから言われた。

「あれだけ大きな広告をして、それで売れなかったら、あんたの人気がもう無いっていうことだよね」

こういうことを言われると、本当につらいデス。作家も芸能人と同じで、人気という人の心に頼る最もあやふやな職業である。私は人気絶頂の、今が旬のタレントさんたちを見ていると、痛々しい思いにとらわれることがある。

美人っていうのは、本当にまめに化粧を直す。
そりゃー 鏡見るの楽しいもんな

「こんなに今は凄い人気でも、いつかは下り坂になる時がある。その時どうやって過ごしていくんだろうか……」

引っ越しの時、昔つくってもらったパネルがいっぱい出てきた。その中にかつての超アイドルTちゃんと対談した時のものがあった。あれは十二年前のことになるかしらん。彼は「アンアン」のセクシーな男アンケートで、トップの座に輝いたのだ。二人で対談したレストランのまわりにも、ファンの女の子がどこでかぎつけてきたのか、二、三十人集まっていたっけ。それがさ、いろんなことがあって数年後には「嫌いな男」ナンバー1になり、今じゃ名前もあまり聞かなくなった。若いコに、

「Tちゃんって、知ってる？」

と聞こうものなら、

「ああ、ビッグだった人ね」

なんて返ってくる悲しさ。

人気というものが、ブレイクしたまま何年もいけるはずはない。昇ってきたものは必ず下がっていく。その時に踏ん張り、うんと頑張って安定した場所を見つけていくのは、とてもむずかしいことだ。二枚目や美女が、バラエティや奥様番組にクラ替えすることなく、自分の場所をキープするのは本当に大変なことなんだから。そういう意味でW浅野（この言葉ももう古いかナ）なんて、えらいなあと感動してしまう。キョンキョンだって新鮮ないいイメージのまま、

時折しっとりとしたミセス風を見せて、もはや人気はカリスマがかっている。先週私を感動させてくれたユーミンなんか、もう不動といおうか何といおうか、映画界でいえば高倉健さん、吉永小百合さんクラス。もはや殿堂入りといってもいい。

さて、私らの業界は、芸能人の人々と違い、中年になってから急に人気が出る、ということもあり得る。この頃、やたらと仲がいい版画家の山本容子さんなど、その代表であろう。もともと絵画の世界では大変な人気を博していたのであるが、最近になってからその美貌とセンスが買われ、雑誌グラビアやCMに引っ張りだこだ。私は七、八年前から、何かの集まりで顔を合わせることがあったが、ちょっと苦手なタイプかなあと思っていた。美術をやる女性は気難しそうだし、端正な風貌がちょっと近寄りがたい雰囲気だ。ところがひょんなことからしょっちゅう会うようになり、今ではよく遊んでもらっている。私より幾つかお姉さまなんだけど、とにかく綺麗なの、カッコいいの。いつもジル・サンダーの服をさらっと着て、小物使いがすごくうまい。ついこのあいだシャトー・ラトゥールを飲む集いがあったのだが、容子さんはブルーのノースリーブのワンピースを着て、昔のお人形さんのようだった。アクアブルーのドレスに合わせて、バッグは薄いベージュのルイ・ヴィトンのヴェルニシリーズのやつ。それからふわふわしたベージュの絹のスカーフを手に持っていた。

ちょうど大雨の日のことで、私はいったんサテンのシューズを履きかけたが、やっぱりやめ、濡れても構わない布のイマイチ靴にした。それなのに容子さんたら、真っ白なフラットシューズを履いている。私がおしゃれな人を見て、つくづくかなわない、と思うのはこうした雨の日だ。濡れるとイヤだからといってボロ靴を履く精神を、彼女たちは最も嫌悪するみたいだ。いつ会ってもどこで会っても、コーディネイトが万全である。私のように言い訳しながら、ヘンなものを着たりはしない。

さらに私は容子さんを観察した。するとあることがわかった。前から気づいていたことであるが、美女はマメに化粧を直すのだ。もちろん人前ではない。タクシーに乗った時とか、ちょっと化粧室に立った時など、すぐにコンパクトを開くのである。私なんか朝化粧をすると、そのままのことが多い。が、食べた後はものすごく注意している。一度、ちょっといい男とフグを食べた後、歯の間にアサツキがはさまっていたことがある。お好み焼きも要注意で、アオノリがつきやすい。

唇や歯にそういうものがついていたら、どんな美女も間抜けに見える。私は一度、大嫌いな女が唇に海苔をつけたままなのを見て、ザマーミロと思ったことがある。

私はどんなに勧められても、男の人と一緒の時はイカスミのスパゲッティを食べない。それから、あぶないナ、と思った時はナプキンでうんと力を込めて拭う。秘密兵器はナイフで、光る面を鏡代わりに使う。これほどしても、私は口元によく何かをくっつけてしまう。美女というのは、こういう不運さと無縁の人かもしれない。

何でも欲しがるマリちゃんは〜

このあいだの「アンアン」の表紙、よかったですね。神田うのちゃんが、うっとりするようなヌードを披露したあれです。ヘアメイクもごくナチュラルにして、うのちゃんのボディの美しさをひきたてている。私がもしこんな体を持っていたら、何でもしそうでコワイ。

図々しいのはわかっているが、私がもしうのちゃんの顔とボディを持っていたら、あーしたい、こーしたい、というのを箇条書きにしてみた。
①街中をタンクトップとパンツという、さらっとした、それでいてスタイルのよくなけりゃ似合わない格好で毎日歩く。
②海外のリゾート地へ行き（うんと豪華なところ）、海辺、もしくはプールサイドで水着のまま一日過ごす。もちろん、いい男を二、三人はべらせておく。

③南国のコロニアルホテルのベッドで、ずうっと裸のまま横たわっている。一緒にいる男性が近寄ってきても何もさせない。時々、
「冷たい飲み物、持ってきて頂戴」

と命令する。
④真夏のパーティに、うんとシンプルなスリップドレスで登場する。ノーアクセなんだけれども、それが素敵なボディをひきたててまわりからため息がもれる。
⑤セックスの途中、
「なんかさ、もうその気なくなっちゃった」

とか言って起き上がる。えー、そんなアという男を尻目に、バスルームへ行きシャワーを浴びる。タオルで髪をターバン風に巻き、バスローブをひっかけた格好で出てきてテレビをつける。それがものすごくサマになって、男の方は再びむらむらとする。けれども私は、

「何もしないで、って言ったじゃないの」

と叱りつける。
⑥アメリカの通販で買ったみたいな、どうってことのない木綿のワンピースを着る。が、私の体は最高なもんで、どんな人よりも目立って可愛い。
⑦これぞ、と思った男の人と必ずそういうことをしてしまう。したくなったら、自分から誘う。いやらしい媚びやテクニックは一切無用。ただ素足を組んで「しようか」と一言だけ言う。

他にもいろいろあるのだが、ま、こんなところで我慢しよう。

テツオによると、このうのちゃんの表紙の号は、なんと完売になったそうだ。完売というのは一冊残らず売れたということである。これは編集長として最高の喜びだ。就任間もなく、人望もそうないであろうテツオ編集長にとって、すんごいプレゼントを、うのちゃんはしてくれたわけである。

「いいボディしてたら、私がヌードになってあげてもよかったんだけどね」

とテツオに言ったら、

「ありがとう。その気持ちだけで充分だよ。何もしなくていいよ」

とおごそかに言った。

さて、このところ私を悩ませていたお腹の肉について、新ニュースがある。かねてより私は、ドラッグストアへ行き、ダイエット食品や美容器具を買うのを趣味としていた。このあいだ近くの店へ行ったら、「とにかく痩せる発汗ジェル」というものが置いてあった。手にとって私はしばし考える。このテのものを、今まで何十回、いや何百回と買ったことだろう。それで効いたことがあるか。私のボディは未だこんなもんである。が、「発汗」という文字にむやみに心ひかれて、私はレジに持っていった。一個九百円という安さでたいして期待していなかったのであるが、塗って朝起きると、お腹のまわりがじっとりと汗ばんでいるではないか。心なしかすっきりしたみたい。これだから、ドラッグストア通いはやめられないのだ。

そういえば、マツモトキヨシのCM、

「何でも欲しがるマミちゃんは〜」

あの歌が、私は大好きである。まるで、私のことを歌っているみたいではないか。私はいつもあのメロディーが流れるたびに、

「何でも欲しがるマリちゃんは〜」

と替え歌にして歌っているのである。

私は好きな男を友人に取られたことが一、二度ある。が、友人の彼氏を取ったことは一度もない。もし神田うのちゃんの体を、神さまが三日間だけ与えてくれるとしたら、やはりそういう悪さをしてみたい。

女ならいきがかり上、なんとなくつき合っているという女友だちを、誰でも一人か二人は持っているものである。きっぱりとつき合いをやめると、世間の人が「やっぱりね」なんて言いそうな関係。それがイヤなばっかりに、ついずるずると会ってしまう。もちろん相手の女の方が、性格が悪くてこちらを困らせているのだ。図々しかったり、男の人の前に出ると、コロッと態度が変わったりする。が、こういうのに限って、なかなかのレベルの男とつき合ったりするから腹が立つ。
⑧神田うのになった私は、ある日彼女の恋人を呼び出す。お酒の小道具なんか使わない。
「私、あなたが○○子の恋人なんてイヤッ。すごくイヤ！」

とだけ言って、目を見つめる。そして、こう言う。

「私を今すぐ抱いて。そして○○子と比べてみて。それから考えてくれればいいわ」……。

こんなことばっかり考えて、私は今日半日を過ごしたのである。

ナイスバディとインランの法則

神さまというのは、本当に不公平だと思う。気に入った女のコにはキレイな顔を授けてあげて、同時にキレイなボディもあげるんだものねぇ……。

「アンアン」の神田うのちゃんの写真を見て、みんなそう思ったに違いない。

私のところにはよく「週刊ポスト」「週刊現代」「週刊宝石」といったオジさんの週刊誌が送られてくる。私はもちろんちゃんと読んでる。これらの週刊誌には必ずヌードグラビアがあり、

「ついにあのアイドルが脱いだ」

という企画がある。まだそんなに落ち目でもないタレントさんや女優さんが裸になっているのだが、みんなため息が出るぐらい綺麗なのである。ハズレがまるっきりない。おっぱいは大きいし、ウエストはくびれてるし、おヘソの形もカッコいい。もちろん一流のカメラマンが腕

によりをかけ、最高のライティングで撮っているということもあるけれど、何よ、何なのよ、これは。顔が可愛いけど、体がブスのコなんか、この世にひとりもいないんじゃないだろうか、と思わせるぐらい。

あ、そういえばある美人女優のヌードがあったっけ。〝貧乳〟なんて書いてあったけれども、私の友人はあの写真を見て安心したんだそうだ。

「よかった……。どんな綺麗な人でも体がいけてないっていうことがあるのねぇ……」

しかしあれは例外だから、女性の心をうったのかも。今週も「フライデー」を見ていたら、

「ついに清純派女優が脱いだッ」

という見出しがあった。このコはまあまあの人気の女優さんだけど体がすっごく素敵。撮影場所はどこかの南国のホテルであるが、ベッドの上で裸になり体をくねらせている。つまり男の人の妄想をかきたてるポーズをとっているわけであるが、色っぽいというよりも、ただただ美しい。強い光にも負けないぐらいの真っ白い肌、長い足、そう大きくはないけれどうんと形のいいおっぱいにピンク色の乳首……。私はもし自分が男で、こんな女のコと一緒に旅行していたらどんな気分かしらと考える。嬉しくて幸福で、一日中裸にして飽かず眺めているのではなかろうか。

そこへいくと……。私のことなんか誰も知りたくはないだろうけどさあ、まあ話の流れとして言うと、この頃お腹の肉のつき方がすごい。今までもすごかったが、そんなもんじゃない。

ニンシンして膨れた分が脂肪になっているのだ。根性のある人なら、必死にトレーニングして直すのであるが、とにかく私は忙しかった。仕事に引っ越しと重なり、気がついたら自分でも「ヒェーッ」と悲鳴をあげたくなるようなボディになっているではないか。

「もうこんなカラダになったら、おしまいよね……」

私はシュンとして夫に言った。

「もうキムタクに口説かれたとしても、絶対に断ると思うわ、ワタシ……」

「そんなことあり得ないことだから、心配しなくってもいいよ」

と夫は冷笑を浮かべて言ったものだ。

そういえば、テツオにもこうバカにされたっけ。

「あんたって、まるっきりインランの気がない人だね」

なんと失礼なことを言うのだろうか。私だって独身時代、恋人がいた時はそれなりのことがあった。彼と旅行に行く前になんかはさ、そりゃあ死ぬ気でダイエットをしたもんだわ。

私は思うのであるが、ナイスバディへのプロセスとインラン度というのはやはり正比例していくのではなかろうか。やはりダイエットがうまくいっている時というのは、人間、大胆になるものではなかろうか。

カッコいい顔と体を持っていることで有名なある女性（芸能人ではない）と対談した時のことである。場所はホテルのスイートルームであった。彼女は懐かしげにあたりを見わたした。

「前にここのバスで、彼と泡だらけになりながらシャンパンを飲んだことがあるわ」

ああ、なんていいんだろうと、私は涙が出るぐらい羨ましかった。体に自信がないばっかりに、私は女としてすごくつまんない人生を送っているんだなあと悲しくなった。

女優さんやタレントさんがすべてインランだとはもちろん思ってはいないけれど、ああいうボディを持っていたら、有効利用したくなるのが人間というものではなかろうか。男の人にもうんと喜ばれるだろうし、人のためにもなる。いいな、いいな。私が若い頃、年上のお姉さまたちに叱られた。

「あなたももっと遊ばなきゃダメよ」

でも私、体に自信が……と答えたところ、ハハハと笑ってこうおっしゃったっけ。

「そんなもん、電気を暗くすりゃいいのよ」

が、男の人に言わせると、どんなに暗くても、出るべきところは出てるか、ヘンなところにぜい肉がついてないか、感触でちゃんとわかるんだそうだ。長いことそれで誤魔化せると思った私はバカだった。それに男の人も優しかったのね……。

ちょっと前までセックスというのは闇の中で行われていた。が、最近は部屋の明度がぐっと上がったような気がする。これはおそらく、性に対する意識の変化と、何よりも女のコのボディに対する自信から来てるものであろう。みんな「もしキムタクに口説かれたら」という意気込みで頑張ってるものね。

パーティ・ホステス養成講座

先日、うちでオープンハウスパーティをした。なんと百三十人を越える人々が集まってくれたのである。

と言うと、なんて広い家に住んでいるのかと驚かれそうであるが、タネ明かしをするとパティオを使ったのと、四時から九時まで好きな時間にいらしてくださいと手紙を出しておいたのだ。

ご存知のように「美女入門」が売れているので、その印税の何割かをパーティに使うことにした。ミエっ張りの私は、こういう時パーッとやります。イタリア料理店からケータリング料理を頼み、黒服のサービスマンもお願いして、シャンパンを運んでもらった。

「個人のうちで、ここまでやるなんてスゴイ」

とみんな喜んでくれてよかった。実は私、友人から教訓を学んでいたのである。彼女はものすごい金持ちなのであるが、関西の人だからケチだ。最近、女ひとりが住む、そう大きくはないが、贅沢な家を建てた。そのオープニングパーティに、やはり数十人の人々を招いたのであるが、行ってみてびっくり。お手製の煮物に、どこかで買ってきたお赤飯のお握り、あとはピーナツみたいなものしかないではないか。

「みんなお腹が空いたって言ってたわよ」

私が文句を言ったところ、

「だってみんな、食べて来ると思ったんだもの」

とケロリとしたもんだ。テツオは言う。

「人それぞれイメージってものがあるんだから、あの人はあの人でいいんだよ。誰も悪く思わないよ。だけどあんたは、頑張って派手にしてもらわなきゃね」

そんなわけで頑張ったわけだ。

若い頃、私は結婚について夢を持っていた。お金持ちの奥さんになって、しょっちゅうおうちで素敵なパーティを開く。そう、「家庭画報」のグラビアの世界よ。夫の都合で外国暮らしなんていうのも悪くない。外国人の夫妻をお招きしてにこやかに喋る私……。

そう、その日を夢見て買い物した時期もあったわ。海外旅行で買ったリネンの数々、オーガンジーの美しいテーブルクロス。デンマークへ行った時は、ロイヤルコペンハーゲンの食器を、ドイツではローゼンタールの食器を買った。もちろんディナーのフルセットである。

が、ハイミス時代が長かったもんで、食器はひとつ欠け、二つ欠けしていった。そしてやっと結婚出来たと思ったら、相手は普通のサラリーマンである。住むところも引っ越しがめんどくさかったので、今まで住んでいた普通の狭いマンションだ。

ディナーはどうなった。外国人の夫妻はどうなった……と私は悲しくなった。が、ある日待ちに待った日がやってきた。夫の仕事の関係のアメリカ人が、一家で日本にバカンスに来ているという。

「やっぱり、うちに招かなきゃまずいだろうなあ。アメリカに僕が行った時は、彼のうちでご馳走になったんだから」

「そうよ、そうよ」

私は大喜びである。若い時に夢見てた外国人付きディナーの女主人になるのね。ようし、今まで集めていた食器も大放出しよう。料理はたいしたことしなくてもいいと夫は言うし、アメリカ人というのはそもそも食べることに関心がない。何とかやれるでしょう……。

が、私は肝心のことを忘れていた。私って英語がまるで駄目なんです……。買い物ぐらいはどうにかなるけど、ディナーの間中どうすりゃいいんだ。私は外国経験の長い友人に相談した。

「いいわよー、子どもと喋ってりゃいいの。そうして時間を稼いどけば」

彼女は励ましてくれた。

「それからさ、凝った料理なんかいいのよ。えっ、十三歳と十五歳の子どもが来るの。じゃ、ケンタッキーフライドチキンを買って並べときなさいよ」

そしてパーティの日がやってきた。私は今までお招ばれしてきたことを思い出し、あれこれ手順を考えた。ヨーロッパやアメリカの人は、どんなに狭いところだろうと食前酒を飲むところ、食事をするところを必ず分けてメリハリをつける。これは全く難しいことじゃない。アペリティフは居間のソファで、食べる時は四メートル移動してもらってダイニングテーブルに来てもらえばいいのだ。

夫の会社の人が二人来たが、みんな英語がうまい。夫も交えて、みんな楽しそうにジョークをとばし（てるらしい）笑っている。私はその間、せっせと料理を運びお酒を酌いだ。案の定、二人のお子さまはお鮨やスモークサーモンといったものには手を出さず、ケンタッキーフライドチキンを囓っていた。なんか「家庭画報」の世界とは違うような気がしたけれど、あれが私のホステスデビューだったわけね。

さてオープニングパーティのことであるが、百三十人を案内し、うちの中を見せ、料理を勧めたりするのはかなり疲れた。

「ハヤシさん、目の下にクマが出来てますよ」

と注意されたぐらいである。パーティのホステスは訓練よね、とつくづく思う。私は今まであまりにも狭く汚いところに住んでいたので、人寄せする機会がなかった。最初は三、四人で週末パーティをする。ここでレッスンを積むべきだったのに、いきなり百三十人だもんね。皆さん、多々不都合があったと思うけど許してくださいね。

新たなる旅立ち

先日私は、本当に久しぶりに体重計に乗った。そして、ガーンと後頭部を殴られたような気分になった。

体重がもの凄く増えているじゃないか。昨年のいちばん痩せている時に比べると、なんと七キロも増えている！　七キロだよ、七キロ。普通の人だったら自殺しかねない数値だ。

私は嘘でも誇張でもなく、涙がこぼれてきた。このところシュッサン、引っ越し、という大イベントがあり、ちょっと自分を甘やかしていたのは事実である。ダイエットよりも、まず体を第一に考えることだと自分に言い聞かせてきた。その結果がこれである。

そうはいっても、ちゃんと注意はしてきたつもり。食べ過ぎた時は夕飯を抜いたし、ケーキも極力避けてきた。それなのに、それなのに……。

思えば私の歴史は、肥満との戦いといってもよい。デブは私の宿命だろうかとあきらめたこともある。が、私は頑張った。あきらめてはいけないと、自分に何度言い聞かせてきたことか。が、体重の増減が私の人生を決めた、というのは事実だろう。うんとデブの時、好きな男の人にそれとなくほのめかされたが、きっぱりと断ったことも一度や二度ではない。このお腹の肉を見せるぐらいなら、プラトニッククラブでいようと思ったのである。

しかし、したらしたで、ものすごく心配になる。彼の目に私はどう映っていたのかしらん……。こういう場合、パンツ一枚になって鏡の前に立つのはよくあることです。が、私はもっといろんなことをやる。鏡の前に寝転がって、お肉の具合を点検したのですね。その結果、こういうポーズをとると、私のウエストは全く行方不明になることがわかった。ただひとつの勝負どころといえる胸も、ぺったんこになる。

そう、まっすぐに寝るとさ、お腹の肉も目立たなくなるが、胸も目立たなくなる。これじゃプラスマイナス・ゼロ。私の場合、何もいいとこ、ないじゃないか。それでも私から持ちかけた話ではなく、あちらから、ぜひ、と言ったことであるから、多少のことにはがまんしてもらわなくっちゃ……。とあれこれ考えた経験は、誰にでもあると思う。えっ、私だけかしらん。

ところで私は、十年前にさる高級スポーツクラブに入っていた。ここでシェイプアップするはずだったのであるが、私のことだからこの数年さぼって全く行っていない。風の噂によると、別の高級スポーツクラブが最近つぶれて、そこにいた芸能人の方々が大挙してこちらに移ってきたそうだ。ジムへ行くと、それこそものすごいスターがいっぱいいると聞いて、ますます行けなくなってしまった。

このあいだ、かの超人気女優、パーフェクトボディを誇るA子さんにお会いしたところ、彼女も最近入会したことがわかった。

「えっ、じゃ泳いだりするんですか。水着になるんですか」

ちょっとォ、私が生ツバ呑み込んでどうするんだ。

「ええ、もちろん」

と彼女は、にっこり笑って答えた。

「そいで、そいで、その後、お風呂にも入るんですか。あの大きなお風呂」

「入りますよ。それがどうかしましたか」

いけない、いけない、まるで自分が男になったように興奮してしまった。

そんなわけでかのスポーツクラブには、ますます行きづらくなってしまった。が、あの体重を見た私の心は暗く沈む。

「もう私は、二度と恋が出来ないんじゃないだろうか……」

すると何と、私の目の前に「スポーツクラブ入会、今なら50パーセントOFF」というポスターが飛び込んできたではないか。商店街の中にある、ごくごく庶民的なクラブである。私は、ついふらふらと扉を押した。

お、ここは何であろうか。外国人がいっぱいいて、まるでロスかサンフランシスコにいるみたい。受付にいるコも、日本人ではない。私は英語で言った。

「ちょっとォ、日本語が出来る人をお願いしたいんだけど」

「OK」

見よ、私の英語力。すぐに日本人女性が現れたではないか。彼女の説明によると、ここは場所柄、外国人がとても多い。会員の三分の一はその種の人々ということである。アホな私の頭の中は、たちまち空想で埋まる。トレーニング中のスパッツ姿の私に、トムが声をかける。

「ハーイ、マリコ。頑張ってるね」

「ハーイ、トム。そうなの。おかげで体重もぐーんと減ったわ」

「オオ、君はそれ以上に痩せる必要はないよ。パーフェクトさ」

「そうね、私もそう思うわ。この後、一緒にビールでもいかが」

何でも、英会話のレッスンの授業もあるというからリーズナブルだ。おまけに、年会費は十万円という安さ。私はすぐ隣の銀行へ走り、キャッシュをおろしてそこの会員となった。

そんなわけで、私はすっかり心を入れ替えることにした。毎日ジムへ通うのさ。三日ボーズにはならない。今度のところは歩いて六分だから大丈夫。今後の私を見守って欲しい。私はもう体重計の上で泣かない。恋だってしたる。もちろんトムと。

失われたサイズを求めて……

昨年のことである。ツワリというものを初めて体験し、それはそれはつらかった。が、その時同時に、私はあることも初めて体験したのである。

それは食べ物なんて嫌い、くだらない、と思うことだ！

人間はなんのために食べるんだろう。ごくごく動物的な行為をしているだけではないか。こんなことにあれほど執着し、凝っていた私は、なんて愚かだったんだろう……。

いやあ、あの時は人生観が変わると思いましたね。当然のことながら、私はどんどん痩せ、皆から心配された。太り過ぎを心配されても、痩せ過ぎを心配されたなんて、これまた初めての体験である。

「きっと私、このまま人格が根本的に変わって、痩せ〜た、暗い性格の女になるんだわ」

本気で悩んだが、それもいいような気がしてきた。痩せて暗い女って、いっぺんやってみたかったしな。

ところが一年たち、あれはつかの間の錯覚だったということが、よ〜くわかりました。私は、以前にも増して食べるようになったのである。

きっかけはあるパーティである。シャトー・ラトゥールという凄いワインを年代別に飲むディナーというのに、舌なめずりしながら参加したのだ。同じテーブルにいたのが、かの山本マスヒロさんに、料理雑誌の編集長である。当然食べ物の話で盛り上がり、日本でいちばんおいしいお鮨屋さんに連れていってもらうことになった。

マスヒロさんのような人にレクチャーを受けながらものを食べ、楽しくないはずはない。

「今度は、日本でいちばんの天ぷら屋に行こう」

ということで、昨日行ってきた。弘兼憲史さん、柴門ふみさん夫妻も一緒だ。マスヒロさんやうちの夫も交えて、天ぷらの後は別の店へ行き、おいしいデザートにシャンパンだ。

ああ、幸せ。生きていてよかった。

が、こんなことばっかしていて太らないはずはない。この頃は、ワインもがぶがぶ飲むしさー。

ところで、川島なお美さんが最近ワインの本をお出しになり、サイン入りのものを一冊送っていただいた。その中で、彼女がこんなふうに語っているのに、私はショックを受けた。

「ワインでぶくぶく太って醜くなった、なんて言われるのは、ワインに対して失礼だから、私は、すごく注意しています。おいしいワインを飲む日は、朝からスポーツジムへ行って、何にも食べません」

この精神の十分の一も私にあったら、こんなことにはならなかっただろうと、大いに反省しました。

さて、つい最近のこと、秋冬物を物色しにショッピングに出かけた。業界の大物、某女性誌編集長Aさんが一緒である。実は、Aさんから電話をいただいていたのだ。

「ハヤシさん、コム デ ギャルソンのブラウス、どうなってるの。もう夏は終わっちゃうわよ」

このページで、あの私にとって敷居の高いコム デ ギャルソン本店で買い物したことは、お話ししたと思う。レースのブラウスを買ったのであるが、次に用事があったため預かってもらっていたのだ。

「このあいだギャルソンに行ったら、ハヤシさん、いつ取りに来るのかしら、って心配してましたよ」

そりゃ、そうだ。あの日からもう二ヶ月たっているのだ。

「よかったら、私も行くから一緒に行きましょう」

という有り難い電話であった。そしてA子さんとコム デで秋物もどっちゃり買う。

「ついでだから、他のお店も見ましょう。ミュウ ミュウの路面店、ハヤシさんにも見てほしいの」

このところ青山の根津美術館界隈は、人気のお店がどーっと引っ越してきたのだ。私たちは、いろんなところをハシゴした。ミュウ ミュウ、D&G、ジル・サンダー……。ジル・サンダーといえば、このところ私が大注目しているブランドだ。A子さんも誉めちぎっているセンスのよい美女（実はいそうでいない文化人業界）、山本容子さん御用達ブランドなのである。

私も二、三度買ったことがあるが、ここの服はとても高い。フォーマルでもなく、カジュアルなもんが、なんでこんな値段なんじゃ、とわめきたくなるぐらいだ。が、容子さんは言う。

「ジル・サンダーのよさは、着た人じゃないとわからないのよ」

カッティングがまるで違うんだそうだ。よーし、じゃ、わかる人になろうじゃないかと、いさんで店に入っていった私であるが、悲しいかなサイズがまるでない。このあいだまでOKだったサイズも駄目。この悲しみ、つらさ、味わった人でなければわかるまい。

「そういえば、ハヤシさんが痩せたら着たいって憧れてた〇〇、この頃あんまり売れなくなったのよ」

Aさんが、さらに追い打ちをかけた。売れてない、とわかったとたん、私は〇〇の服があまり好きではなくなってしまったのである。そうよね、どうしても手に入れたいと思ってた不倫の男が、奥さんに捨てられたと聞いたような気持ちかしら。なんか急に興味を失くしたのよ。

女ってそんなもんよね……。

が、こんなエラそうなことを言っても、サイズがないんじゃないか！

屈辱の採寸

私の人生において、今までいちばん派手なイベントといえば、結婚式は別とすれば、十年前にウィーンの舞踏会に出かけたことであろう。

オペラ劇場を会場にして、十九世紀さながらの大舞踏会が繰り広げられたのである。男性は燕尾服、女性はイブニングドレス、というのがならわしだ。またこの際、ヨーロッパ中の名家の令嬢が社交界にデビューすることにもなっている。何十人かの女の子たちが真っ白いドレスを着て、ハンサムなパートナーに手をとられて行進するさまは、本当に壮観であった。映画や小説で読んだ世界が、目の前にあることに私は感動したっけ。

そして再び、お派手なイベントの招待状が私のもとに届いたのである。ベルサイユ宮殿で夜会があり、世界中から二百人の人々が招待される。日本のメンバーのひとりとして、ハヤシさ

15センチしか差がない
私のボディって……。

んをお誘いしたいというのだ。ジャーン！

こういう時、真っ先に考えるのは、やはりドレスのことである。着物にすればいいではないかという意見もあったが、私の経験からいって着物が映えるのは、もっと少人数のパーティである。ベルサイユ宮殿のような巨大な建物の中の大夜会というと、素材や柄の緻密さや美しさで勝負する着物は負けてしまう。

私は「アンアン」に出る時、いつもお世話になるスタイリストのマサエさんに頼んだ。

「時間もないから、どこかでイブニングドレスをめっけてきてくれないかなあ。予算は○○円ぐらいでね」

彼女は、一生懸命探してくれたらしい。

「だけどハヤシさん、まだ秋・冬ものが日本に入荷してないんですよ。日本に入ってくるイブニングドレスは数が少ないし……」

後に、テツオは私に意地悪く言った。

「本当は、サイズがないに決まっているじゃないか。気を遣ってまだ入荷してない、なんて言って可哀想に……」

本当に嫌な奴だ。が、マサエさんはこうアドバイスしてくれた。

「私、いろんな人に聞いたんですけどね、イブニングだったら、やっぱり森英恵先生にオートクチュールを頼むのがいちばんいいそうですよ。ヨーロッパの社交界に精通している方だから、大きなパーティがあると、どんな人がどんなドレスを着るかちゃんとリストを持っていらっしゃるそうです」

よおーし、と私はこぶしを振り上げた。幸いなことに「美女入門」は、ベストセラーに入っているのである。あの印税を遣ってオートクチュールを作ろうではないか！

実は私、森先生には何度もお世話になっている。ウエディングドレス、お色直しのイブニングもそうだし、例のウィーンの舞踏会に出た際のドレスも、先生に作っていただいたものだ。普段がさつな生活をしているため、森先生のオートクチュールなど敷居が高くて近寄りにくいのであるが、よーし、行こうじゃないか。私には「美女入門」がついているのだ。

が、それ以前に私には大きな問題があった。産後太りが直らないまま、ここのところワインと美食の日が続いている。お腹のあたりには、うっとりとなるほどお肉がついてきた。この頃は怖くて、体重計にも乗っていない。

が、意を決して私は出かけました。森先生が親切に迎えてくださり、サロンで一緒にビデオを見た。先生の今年のパリ・コレクションを撮影したものである。中にとても素敵な赤いイブニングドレスがあった。上品な深紅で、シルエットがとても美しい。イブニングと言えば黒が多いが、この色はとても新鮮だ。

「私もね、ハヤシさんには、これがいちばんいいんじゃないかと思ってたのよ」

と森先生。そしていよいよ別室で採寸ということになった。男性が測り、女性がサイズを書き留めるというシステムらしい。私は大きな不安で体が硬くなる。が、もう仕方ないわね。

夏のブラウスの上から、メジャーが巻かれた。バスト、アンダーバストはまあいいとして、彼の手がウエストにかかった時だ。えーっとかすかに絶句したような気がした。

「この先、ナンカなさいますよね」

「ハ、ハイ」

「じゃ、このくらいにしときましょうか……」

とメジャーをキュッと締めたのである。この数値を、私は一生涯口にすることはないであろう。ただ、バストと十五センチしか違わなかったと言っておこう。テツオにこのことを報告したら、

「えっ、十五センチも違ってたの。スゴイじゃん」

とせせら笑われた。

が、私はその日から心を入れ替えた。ジムに入会しても一度も行かず、ダイエットもいまひとつ身にしみてなかったが、今回は本当にせっぱつまっている。私は夕飯を抜き、アルコール、甘いものは一切口にしない。そして腹筋もしている。補整下着というものも、買うつもりだ。

そして、見よ、この成果。わずか一週間で今まで入らないスカートがＯＫになり、顔もほっそりしたのである。ニンジンを目の前にぶら下げられれば、どんなダメ馬だって頑張るぞい。

恐るべし！　キワモノ化粧品

そんなわけで、オートクチュールのイブニングドレスをつくった私である。

屈辱的な採寸を経て、私は決心した。

「よし、ラストスパートをかけちゃる」

なぜか、博多弁になる。

インテリア特集の時、私はこう言った。家づくりは、今までのセンスと美意識の集大成である。そして、今わかった。イブニングドレスこそ、女の美の集大成なのである。

美しくてプロポーションがいいのはもちろん有利であるが、それだけでもイブニングは似合わない。若くても場数を踏んでいるといおうか、貫禄を持っているか、いないかが、問題になる。つまり、中身を持っているかどうかということである。

よく、ファッションに携わる人が、

「洋服は結局、中身です」

みたいなことを言うが、何のことかよくわからないでしょ。私にだって、よくわからん。が、イブニングドレスの場合、中身ということがどういうことか、ようくわかるはず。どんな美少女でも、昨日今日デビューしたばかりのアイドルでは、やはり着こなせない。ただの長めのワンピースになってしまう。ちゃんとしたキャリアを積んだ女優さんが着るからこそ、〝おおっ〟という感じになるのである。

また、中身だけではない。イブニングドレスは上半身の肌がむき出しになるため、多くのチェックが入る。背中の肉がたるんでないか、シミはないか。うなじは綺麗か、むだ毛はないか……等々、普段からちゃんとお手入れしているかどうかで、差が出てくるのだ。

私は商売柄、肘の黒ずみがずうっと気になっている。原稿を書いている最中、無意識に肘をつくらしく、ここに角質がたまっていたのだ。いろんな化粧品をつけてみたが、いっこうによくならない。

先日某女性誌（「アンアン」ではない）を見ていたら、

「キワモノ化粧品総点検」

という記事があった。通販で買える怪しげなものをチェックしたというものだ。その中で一回使っただけで肌が白くなるパック、というものがあった。

「こんなもの、効果があるはずないと思っていたら、ものすごい。いっぺんで白くなった」

と書いてあるではないか。が、そのパック、まるで芸能人と密会するシロウト女性のようにモザイクがかかっている。私はさっそくこの編集部に電話をかけた。幸いなことに、私はその女性誌にコラムを持っているのである。担当者を呼びだして聞いた。

「申し訳ないけど、あのモザイクのかかっているパックの名前、教えてくれないかしら」

「いいですよ。それよりも試供品の小さいやつをいっぱいもらったから、それを送ります」

試しに使ったところ、手の甲の色がはっきり変わった。土曜日に友人を呼びだし、彼女にも使わせたところ、ゴルフ灼けした手首がいっぺんに変わったのだ。これには彼女も驚き、さっそくその場で本社に電話し、2個ずつ送ってもらうことにした。

私は毎日このパックを、肘と顔に使っている。使った直後は、確かに白くなる。が、三時間たつと元に戻るというのは、どういう節理によるものだろうか。

「白い粉が皮膚に入って、白く見えるんじゃないかしら」

と友人は推理する。が、私はめげず、毎日使っているのである。

ダイエットも、もちろん頑張っている。こういう風に、ニンジンがぶら下がっている時の私の頑張りようといったらすごい。自分でも根性あると思う。

夕飯は抜いて、甘いものとアルコールもやめ、一週間で二・五キロ痩せたぞ。一週間ぶりにテツオに会ったら、

「顔の形が違ってる」

と驚いていたっけ。ハハハ、私を甘く見てはいけない。私は持続性はないが、集中力というのはあるんだから。

そして仮縫いの日、ドレスが掛かっていた。美しい赤いサテンのドレス。でも……、何か違うわ。パリ・コレでモデルさんが着ていたのと、本当に同じものかしらん。私は慌てる。が、すぐに知った。

そうよねえ、プロポーションが違うと、これだけ別のものになってしまうのねえ……。そして仮縫いが始まった。私はダイエットも頑張ったが、下着も頑張った。昔買った補整下着を身につけ、さらにその上にウエストニッパーをきりりと締めていたのである。

「ハヤシさん……」

ピンをうっていた男性が顔を上げた。このあいだ、

「このくらいにしときますか――」

と、メジャーを締めた人である。

「ハヤシさん、ウエストが五センチ少なくなってますよ」

見よ、この努力。たった一週間で五センチじゃ。人間成せばなる。努力は必ず報われるのだ。

森英恵先生も、

「ハヤシさん、頑張られたわね。えらいわ」

と誉めてくださった。世界のモリ・ハナエにウエストの心配までさせて、私はなんという女だろう。

家に帰って夫に自慢したところ、

「それだけ伸び縮みする、だぶだぶの腹だってことじゃねえか」

だと。よし、このドレス着て、パリで恋人見つけたる。中村江里子さんの彼みたいなのじゃ。

大足伝説

秋になると、大足の私はとても嬉しい。

なぜならば、ぐっとおしゃれがしやすくなるからだ。

私自身は決してセンスのいい人間ではないが、まわりにおしゃれな人が多いため、情報がいっぱい入ってくる。雑誌を見たり、お店をのぞくのも大好きだ。が、悲しいかな、サイズのことがあり、思うようなコーディネイトが出来ないの。特に足元がね。

夏はストッキングやタイツを履くこともなく、ほとんどが素足だ。したがって靴のトラブルが多発する。お出かけをする時、全身を鏡で映す。スカート丈を確認する。こういう時、私だってどういう靴を履けばいいかちゃんとわかる。今日はヒールのある、ちょっとコンサバな靴にしよう。今日はフラットな、うんと流行っぽいやつがいい。

今年もバーゲンのものを含めて、靴をいっぱい買った。今年は若干白にも挑戦し、それだけで五足もある。が、いざ足を通そうとすると、親指や小指が悲鳴をあげるのだ。秋や冬だったら、タイツやソックスがあるために、何とか、だましだまし履くことが出来る。が、素足だと、いつもの倍ぐらい靴は履きづらくなる。が、どうにかして根性で履いたとしても、玄関を出る頃には痛さのあまり人魚姫状態（あのロマンティックなおとぎ話、知ってるよね？）。玄関まで履き替えに戻ったことは、一度や二度ではない。

その結果、洋服に似合わない靴を履くこともしょっちゅうだ。こういう時、ものすごく気分が悪い。特におしゃれな友だち何人かと会う時、もうイヤでイヤで帰りたくなってしまう。みんな足元を見ると、おしゃれな流行の靴を履いている。私だって、こういうの履きたいの、こういうのがいいって知ってるのよと、泣いて訴えたいぐらいなの。

こんな私だから、深田恭子ちゃんはとても他人とは思えない。二十六センチある、というだけで彼女のことを大好きになってしまったほどだ。

さて、最近のことである。イブニングドレス用の靴を作るために、某靴屋さんに出掛けた。イブニングドレスを着る際、いちばん正式な靴は同じ布を使ったものだって知っているだろうか。私も、今回初めて知った。

その靴屋さんは銀座にあり、何といおうか、ものすごくポピュラーなため、かえって足を踏み入れたことのない店である。オーダーサロンに行き、足の形をとってもらった。男の人がひざまずいて座り、私の足を鉛筆でなぞった。かなり恥ずかしい。小さな可愛い足ならともかく、二十四・五センチの幅広足である。

が、その結果、驚くべきことがわかった。私の足は実は二十三・五センチだったのである。

「ということは、よっぽど幅があるっていうことですね」

「そういうことですね」

担当の男性は、ごく事務的に答えた。

「じゃ、痩せれば幅が狭くなる、っていうこともあるんでしょうか」

「まあ、多少ありますけどね……」

ダイエットしたからといって、二十四・五センチが二十二センチになる、というのは無さそうなのである。

もうかなり前のことであるが、ある雑誌にこんな記事が出ていた。戦前に比べ、二重まぶたで生まれてくる子どもの数はぐっと増えているそうだ。世の中に「二重まぶたの方が可愛い」という価値観が出てくると、不思議に人間はその方向へいくようなのである。

バストだってそうだ。私の若い頃、胸の大きいのと小さいのとどちらがいいか、というと世論は二つに分かれていたように思う。

「胸の大きな女はバカだ」

という俗説が存在していた最後の世代だ。

「胸が小さい方が、ファッションはあか抜けて着こなせます」

と、雑誌にだって書いてあった。もはや往年の栄光はほとんどないが、当時の私はかなりのサイズであった。が、街を歩いていて下品なことを言われたり、痴漢にあったりと、いい思い出がない。体にぴっちりしたものは身につけないようにし、自然と猫背になってしまった。うっ、あの頃のことを思うと本当に口惜しい。

今じゃ街中をゆく女のコのほとんどが、バストを際だたせるものを着て、胸を張って堂々と歩いている。気のせいではなく、胸の大きな女のコがぐーんと増えた。ここでも「二重まぶたの法則」は生きているのである。

私は思う。

胸と同じように、足も大きい方がカッコいい、という風潮が出てきてはくれないだろうか。今年の夏は、上げ底シューズやでか靴の流行があったというものの、まだあやふやなところがある。女のコたちは、デートの時などやはり、きゃしゃなサンダルを履くことが多いからまだ安心出来ない。

足はデカい方が素敵、という流れが出来さえすれば、靴売場はもっと充実することであろう。それにしてもあの「Lサイズ」という無神経な文字、何とかならないものであろうか。靴のバーゲンに行くたびにむっとする私。

子どもの時からのトラウマで「Lサイズ」という文字はかたくなに拒絶してしまうのよ。

ダイエット・フレンド

私は一年のうち、三百日ぐらい体重のことを考えている。

そしてあとの六十五日、全くダイエットのことを忘れ、ひたすら食べる、ひたすら夜のおつき合いをする。この世に体重計というものが存在しないかのように生きてしまう。そして何かのきっかけで、体重計に乗り真っ青になる。これをきっかけに心を入れ替え、残りの三百日かけてダイエットをする、ということの繰り返しである。

この結果、何が起こるか。リバウンドしやすい体になる、ということもあるが、ダイエット仲間が出来る、ということがあげられよう。私たちはたえず情報交換をし、互いのプロポーションに敏感になっている。

仲良しのAさんは男性であるが、たえず太ったり痩せたりして、この人も凝り様がすごい。

痩せている時は、オッと言うぐらいカッコいいが、ちょっと太ると急にオジさんっぽくなる。本人もそのことがわかっていて、たえずダイエットに励んでいるが、彼のやり方というのは運動はいっさいしない。あれは体を悪くする、というのが持論だからだ。その代わり、薬のことにはとても詳しい。

ある日Aさんから、漢方薬でものすごく効くものがあると教えられた。一ヶ月で五キロ減らすのも夢ではないというのだ。私はさっそく、ひと瓶買った。一万円もする。いったい私はこういうものに、今までどれだけのお金を遣ったのだろうかと、ちょっと悲しくなった。とにかく説明書を読む。毎日三回、五錠から十二錠飲めと書いてある。十二錠いきたいところであるが、最初なので十錠にした。ところがこの日の午後から、私の悲劇は始まったのである。お腹が下る、なんていうもんじゃない。三十分おきぐらいにトイレに駆け込んだのである。この日私は、某男性二人とお鮨をいただいていたのであるが、まもなく冷や汗が出てきた。狭い店なのでトイレは近いところにある。あんなところでしたくない。が、我慢も限界だ。

私はどうしたか。

電話をかけるふりをし店の外に出て、ビルの中の別のトイレへ走ったのである。

「もー、大変だった。お腹ゴロゴロで、デイトどころじゃなかったよー」

私が抗議したところ、Aさんは、

「あのくらいじゃないと、痩せないよ。頑張らないと駄目だよ」

と、私を励ましてくれたのである。

私はずっと昔、まだAさんとそんなに仲良くなかった頃、対談をしたことがある。Aさんは私にこう言った。

「女は絶対に美人じゃなきゃ駄目だよね。整形なんかしてもいいからさ、女は綺麗になるべきだよ」

私は無邪気に、世間話っぽく言った。

「じゃ女優の○○みたいになればいいんだ。あのひとめちゃくちゃ整形してるっていうし、毎日下剤飲んでダイエットしてるんでしょ。手段選ばず、とにかく美人になることが大切なんですね」
○○さんというのは、当時大人気のほっそりした美人女優である。この時、Aさんはちょっと困った顔をしたような記憶がある。そして二週間後、Aさんとその女優さんとの熱愛報道が週刊誌に出た。本当に口は災いの元である。私なんか人の百倍ぐらい災いを招いているのであるが、まだ懲りずに口を使ってしまいます。
さて女優さんとの熱愛を経て、Aさんは結婚した。年下の美人である。ものすごく細い。腕なんか私の半分ぐらいだ。私は何だか心配になってきた。

Aさんの部下に言う。

「ちょっと、あそこの奥さん痩せ過ぎじゃないかしら。体を壊さなければいいけどもね」

「Aが瘦せた女の人じゃなきゃ駄目なんで、奥さんも頑張ってるんでしょう。彼はとにかく、太った女が嫌いですからね。暑苦しくて頭が悪そうだって……」

この私の前で、ペラペラと喋る。腹が立つより、次第に私は心配になってきた。だってAさんのこと、私は大好きなんだもの。

「あのお、その好みって、友だちにも適用されるのかしら……」

おずおずと尋ねたところ、いっぺんに馬鹿にされてしまった。

「やだな、ハヤシさん。あくまでも性的関心を持っている人の話ですよ」

あ、そう、悪かったわね。

それで私は悩んでいる。トイレへしょっちゅう駆け込んでも瘦せた方がいいのか、ということである。そんなある日、一枚のファックスが届けられた。国立病院でつくられた肥満患者のための㊙特別メニューなんだそうだ。体の中で化学反応を起こさせるために、ゆで玉子とステーキを食べる、という画期的なものである。

おかげさまで単行本「美女入門」は売れている。私は皆さんにお約束しましょう。「美女入門」PART2は、「実践編」と名づけよう。美しくスリムになった私が表紙である！　が、こんなことを言っていいのか。どうするのよ。

「口は災いの元」って、今言ったばかりではないか。約束といおうか、その、まあ、ちょっぴり期待してくださいね。

パリ懺悔

ベルサイユ宮殿での、大夜会に出席した私。ヨーロッパ各地から集まった、イブニングドレスの美女をいっぱい見た。やはりこういう正装というのは、白人のものだとつくづく思った。男の方もかなり若い美形が多く、ひょっとしたら国際的ロマンスが、などという私の夢はすぐに打ち砕かれた。なぜならば99パーセントはカップルだからである。ひとりでドレス着て、うろうろしているのは、私と、日本から一緒に来たプレスの女性ぐらいかもしれない。

カップルというものは面白いと改めて思った。美男には美女が寄り添い、リッチそうな男性にはリッチそうな女性がワンペアだ。夫婦で招かれているから、当然といえば当然かもしれないが、ヨーロッパ社会ではあまりちぐはぐな組み合わせというものがない。日本よりも、はるかに階級社会だからかもしれないなあ。

日本のおハイソな方々の中にも時々いらっしゃるが、ヨーロッパには、お金によって磨き抜かれた美女、というのがいる。若いコはちょっとかなわない貫禄と輝きを持っている方々。十五区とか十六区のお金持ちエリアへ行くと、こういう素敵なマダムが、金髪をきりりとまとめ、黒いスーツにバーキンバーキンを持って買い物している。

「ああ、バーキンってこんな風にして持つのね。本当にすいませんでした。失礼しました」

と土下座して謝りたくなる。私の年齢でさえそう思うのだから、二十代のコが持つというのは本当にヘン。

そうはいうものの、久しぶりのパリでやはり物欲の鬼と化してしまった私である。まずはモンテーニュ通りのプラダへ行き、可愛いハンドバッグと革のロングコートを買う。その後はジル・サンダーへ向かったのであるが、サイズの小ささと日本と変わらないお値段の高さに一時退却。が、私は隣のセリーヌのショーウインドウに、それはそれは素敵なチェックのスカートを見つけた。可愛い、ステキ。セリーヌは本当に変わった。

若い読者の皆さんはご存知ないと思うが、大昔、第一次ブランドブームというものがあった。私が女子大生の頃だ。あの頃、セリーヌのスカートをはき、グッチのベルトを締め、カーディガンの間からチェーンを垂らす、というのがお約束であった。

あのイメージを長く引きずり、グッチのキーホルダーや、セリーヌのスカートなどお土産にもらっても〝フン〟という感じであったが、今はそんなことを憶えている人も少ないことであろう。グッチはご存知のように、いちばんトレンディなブランドになり、セリーヌもデザイナーを代えてから、このところ大人気だ。しみじみと時の流れを感じ、感じついでに中に入ってスカートとスーツを購入。私がはいても、ここのスカートは可愛い。

ところでご存知のように、今年の流行色は赤である。パリもどこへ行っても、赤、赤、赤が溢れている。私はデパートへ行き、赤いセーターを何枚か仕入れてきた。思えば昨年の秋から冬にかけて、街はグレイ、グレイ、グレイだったっけ。あの時買った、セーター、ジャケットをどうしてくれるんだ、とわめいたら、

「今年の赤を、差し色にすればいいのよ」

と友人が言ったが、私の見た限りパリのショーウインドウは、もっと赤を前面に押し出している。全身赤のコーディネイトだけれども、あれは日本人にはちょっとむずかしいかも。さ、お買い物でセンスを磨いたら、おいしいものをいただきましょう。パリで今、いちばん話題の店といったら、シャンゼリゼ通りの回転寿司だ。例のブッダ・バーよりもおしゃれな人たちが集まっているということでさっそく出かけていった。日本人の観光客などひとりもいない。みんなフランス人で、気取ってランチをとっている。

当たり前だ。すっごく高くてまずいんだもの。乾いたような海老や白身が二個のってて三十五フランもする。約六百三十円っていうとこか。ひどい、ひどい、と言いながら結局三人で二十皿近く食べて口惜しい。

パリはおいしいところが山のようにある。ベトナム料理なんか最高だ。野菜はたっぷり食べられるし、ワインによく合う。生春巻、春雨のサラダといったポピュラーなものもいいけれど、魚の蒸し料理なんかもいける。夜は三ツ星レストランで、豪華なフランス料理。

朝は朝で、焼きたてのクロワッサンにカフェオレという、ホテルの朝食が何ともいえないぐらいおいしい。バターもジャムも日本のものと全然違う。

ここで読んでいる人は誰もが思うだろう。

「ちょっと、ダイエットはどうしたの」

海外へ行くと治外法権という感じで、すべてを許してしまう私。あんなに歩くんだし、早起きるんだしさあ、といいわけを十個ぐらい用意したが、三日目にはもうスカートがきつい。

「人間の体が、そんなにすぐ太るはずがない」

と一緒に行った人が言ったが、そういう人は肥満に苦しんだことのない幸福な人だ。帰って測ったら、三・五キロ増えていた。

ああ、パリ。悦楽の都よ。あなたに魅せられた私を、どうしてこんなに苦しめるのか。

美女、実践中

バーキン・フィーバー

パリの楽しい旅は続く。

パリはいい男と歩いても素敵であろうが、ひとりで歩くのにも適している街だ。街が小さく、メトロに乗るコツさえつかめばどこにだって行ける。メトロに乗らなくても、地図を片手にてくてく歩くのが、これまた楽しい。街中どこへ行っても綺麗な街並みが続いているし、いたるところ可愛い教会やお店がある。つまり街全体が見どころなのである。

疲れたらカフェの椅子に座り、ギャルソンに告げる。

「カフェ、シル・ブ・プレ」

昔はこのカフェに入る時は、ちょっと緊張したものであるが、今や東京のいたるところに出来たからすっかり慣れてしまった。なんかオー・バカナルにいるような気分である。

それにしても、パリはなんて旅行しやすくなったんだろう。私がこの街に初めてやってきたのは、すんごい大昔、二十六年前のことだ。英語を使おうとすると、フランス語でまくしたてられ、商品にちょっと触れようものなら「ノン」とぴしゃりとやられる。もうおっかないことといったらない。最後の方になったら外に出るのが嫌になってしまい、ホテルの部屋で本を読んでいたっけ。

それがこの頃じゃ、どこへ行っても英語が通じる。向こうもヘタなもんだから、お互いむずかしいことは言わず、わかりやすい単語を選んで、グッド・コミュニケーション。

おまけに店員の親切になったことといったらどうだろう。この私が言うんだから、間違いない。格調を誇るどこの本店でも、日本人に対して、昔みたいな失礼なことをしない。バブルの時もこれほどじゃなかった。これはいったいどういうことなのだろうかと、私なりに分析した。

「つまりこういうことよ」

私は友人に言った。

「不景気で、いったん日本人が遠のいたでしょう。その時、我々がどれだけ売り上げに貢献していたか、身をもってわかったんじゃないかしら。ああ、何のかんのいっても日本人は大切なんだって」

それともうひとつ、日本人が変わったことも挙げられよう。

私が観察したところ、パリでいちばん目につくのは女の子の二人連れだ。この体制がいちばん買い物しやすいからかもしれない。みんなおしゃれをして可愛い。マナーもちゃんとしている人が多い。

何よりも見た目がキレイなもんだから、みんなから好感をもたれやすいよね。ハイキングみたいな格好をしたおばさんグループなんかよりも、ずっといい。

今日はサントノーレでお買い物。ホテルから歩いてきたらすっかり迷ってしまい、疲れ果てたところに美術館が出現した。貴族の館を改装したものらしい。パリの館っていうのは街中にもあって、車がぴゅうぴゅう走る道路に接した扉を開けると、ものすごく広い庭園が広がっていたりする。まるでSFみたいだ。ここの美術館にはティーサロンがあったのでさっそく入る。ゴブラン織りのタペストリーの下でいただく紅茶とケーキのおかげで、すっかり優雅な気分になったのはいいけれども、もう疲れて歩けない。タクシーを拾って、いざ、エルメス本店へ。

実はここに来る前、知り合いのスタイリストの人から頼まれていたのだ。

「ハヤシさん、バーキンを買ってきてくださいよ。ハヤシさんだったら、すぐ手にはいるでしょう」

そんなことはない。この前行った時は、たまたま茶色のバーキンが一個残っていたのであるが、お店の人に聞いてもすべてソルドアウトということだ。

「クロコダイルだったら、ございますけど」

とーんでもない。おそろしくてあんな高いものは買えない。大地真央さんにまかせておこう

（意味がわからない人は、女性週刊誌のグラビアをこまめに見てね）。

「ここにいらっしゃる日本人の方は、みんなバーキンを注文なさいます」

店員さんも驚いていた。

私はこのところの日本人のバーキン熱がよくわからないのである。「ヴァンサンカン」や「クラッシィ」を読んでいる人ならわかる。しかし「アンアン」の読者のように、センスと反骨精神があり、お金のかかったオバさんファッションを心から軽蔑している人、普段はアヴァンギャルドな格好をしている人まで、みいんなバーキンを欲しがる。

なんでもどうってことのないパンツとセーターに、バーキンを合わせると可愛いんだそうだ。可愛いったって、日本で買うと六十万円もするバッグだよ。着倒していくような値段じゃない。

今後、日本人女性とこのバーキンとの関係について、もっと深く考えていくつもりである。

そういえば、と私は思い出す。三年前にここに来た時、私は革のジャケットをオーダーした。が、今まで一度しか着ていない。そう、エルメスで買うっていうことで満足しちゃって、もうそれで完結したわけね。ブランド品ってこういうもんかもしれないね。

ベッドは語る

私の友人が引っ越しをして、前よりも多少広いマンションに移った。私はまだ見てないが、アルフレックスのダブルベッドを買ったそうだ。

「独身なのに、どうしてダブルが必要なの」

私は、うんと意地悪く尋ねた。

「前のマンションの時もセミダブルだったけど、たいして役に立ってなかったじゃないの」

彼女はむっとしたように、こう答えた。

「何が起こってもいいように、素敵なダブルベッドを用意しておくのは、独身女のたしなみなのよッ」

アメリカの映画を見ていつも思うのは、ひとり暮らしの女のコでも、ちゃんとダブルベッド

を持ち、枕が二つあることだ。それも毎朝ベッドメイキングしてある。だから何かコトがあっても大丈夫。大男の彼が突然泊まっていっても、朝もラクラク二人で眠ることが出来るのね。

そこへいくと、日本の女のコというのは、住宅事情が悪いために、若いうちはダブルベッドを置くことが出来ない。ワンルームのマンションといおうかアパートにシングルベッドを置き、そこにカバーを掛けてソファ代わりに使うというのが大半だろう。

それでもセンスのいいコは一生懸命考え、このカバーやクッションの色をカーペットに合わせたり、あるいはエスニック風にしたりするわけだ。

レギュラーの恋人ならば、ソファが突然ベッドに早変わりしてもどうということがないのだけれども、困るのは恋人候補のカレと、初めてそういうことをする夜ですね。アメリカの女のコだと、キスをしながらベッドルームへなだれ込む。そしてベッドに押し倒される（ふりをする）などという流れがうまく出来る。が、日本の女のコの場合は大変です。ソファのつもりで二人座っているんだけれども、やっぱりベッドだからおかしな雰囲気になる。なったらなったでいいけれど、今度は大急ぎでベッドカバーをはずしたり、クッションやヌイグルミを取り除かなければいけないわけですよね……。

さて私は昔から、二つのものに憧れていた。それは猫足付きの浴槽と、天蓋付きのベッドである。大人になってうちを建てることがあったら、この二つは絶対に用意するのだと心に決めていた。が、猫足の浴槽はヨーロッパのホテルに泊まるたびに、かなり不便なものだということがわかってきた。掃除が大変そうだし、日本式に髪や体をざーっと洗うのがむずかしい。

ついこのあいだ、パリに行ったついでにシャンパーニュ地方へ行き、あるワインメーカーのプライベートホテルに泊まらせてもらった。ここの浴槽は花模様のじゅうたんが敷きつめられていて、そこの上に猫足浴槽が置かれている。ちょっとでも水しぶきが飛んだらどうしようかと、ずうっとおっかなびっくりだった。やっぱりあれは、たまによそで使うものである。

もうひとつの天蓋付きベッドであるが、大昔シンガポールのラッフルズホテルの名物、サマセット・モーム・スイートに初めて泊まった時は感動した。天井からの天蓋付きのベッドは、すんばらしいレースにおおわれていた。あの夜はよかったなあ。夜の闇がすっかり違うものに見えたのだ。それにあの透けるカーテンって、とってもイヤらしい心をそそりません？　リゾートホテルなんて、妄想をかき立てられます。

私はうちに帰ってから頑張って、あれを再現しようとした。白い籐のセミダブルベッドを買い、両脇を通販で買ったラックではさんだ。ここから白いレースのカーテンを垂らしたのであるが、友人たちからは「ヘンなのー」と言われた。これで男の人を釣ろうとしたのであるが、男の人がひっかかる前に、飼い猫がやたらレースに爪をひっかけ、これを取り去ることになってしまった。とほほ……。

その後は、背中にいいというウォーターベッドに買い換えた。その時、一緒に買いに行った女友だちに、

「でもウォーターベッドって、あーいうことをする時に、しっかりしてないから大丈夫？　じゃぶじゃぶしていても平気？」

と尋ねたところ、

「あーら、平気よォ、オホホ」

と彼女は声高く笑って、

「おとといも、うちのウォーターベッドの上でしたけど、まるっきり平気だったわよォ」

とのたまった。わりと地味な人だったのに、へーと思った記憶がある。そのウォーターベッドも引っ越しの時に処分して、今私が使っているのはドイツ製の布製のもの。昔買ったピンクのリネンがまるっきり似合わなくなったので、白いコットンのこざっぱりしたものに変えようと思っている。

ところで男友だちに聞いたところ、二間使っているような年増のキャリアウーマンのところで、ベッドルームへ移動するプロセスより、ひと間で暮らしてる女のコのベッドからクッションとヌイグルミを取り除ける方がずっと楽しいそうだ。

ま、ベッドからは、女の願望や夢や、いろんなものがみんな見えるぞ。今度映画を見る時にヒロインのベッドもちゃんと見よう。アメリカの女のあれは、何と言おうか、セックスを日常的にうんと楽しもうという心意気にあふれている。

モテる女は光を制す

秋も深くなった。今年の秋こそは、シックでファッショナブルな女性になりたいと思う私である。

秋には強い味方がある。パリで買った最新のモードの数々だ。プラダやセリーヌでスーツやセーターを揃えたのである。特に気に入っているのは、セリーヌのツイードのスーツだ。一見普通のスーツなのであるが、襟のあたりがレトロっぽくてとても可愛い。どこへ着て行っても誉められる。

うんと好きになると、そればっかり着るというのは私の悪い癖である。その夜私は、かのタイユバン・ロブションで夕食の誘いを受けていた。そお、恵比寿ガーデンプレイスにある、超豪華なフレンチレストランである。大きなお屋敷自体がレストランになっている。それはそれは素敵なところだ。

昼間、ちょっとした用事があったために、そのツイードのスーツでレストランに直行した。黒服の男の人に迎えられ、扉を開けてもらったとたん、私はしまったと思った。ツイードで来たのは、あきらかに失敗だったのである。

いくらセリーヌのスーツに、エルメスのケリーを持っていようと、ツイードという服自体が昼間のものなのだ。もう一人、女友だちがやってきたが、おしゃれな彼女は白いシルクウールのスーツを着ていた。シャンデリアの光に映えてとても綺麗。私は〝しまった〟と思い、食事の間もそわそわと落ち着かなかった。男の人はスーツ、もう一人は蝶ネクタイとかなりきちんとした格好だったので、なおさら立場がなかった。

ついこのあいだまで、あんまりフォーマルな格好をするのはハズカシイ、という気持ちが強かった私。だからオペラだろうと、パーティだろうと、ちょっとカジュアルダウンさせ、それの方がずっとカッコいいと思っていた。

が、それはとても間違っているのだ、ということに最近気づいた。T・P・Oというよりも、光の問題である。夜、フォーマルなところへ行くと照明が凝っている。シャンデリアじゃなくても、綺麗な明かりがついているはずだ。ツイードやコットン、といった生地になるとそういう明かりの下では、とてもビンボーったらしく見える。絹やラメの光沢というのは、照明の光を受けてとても女の人を美しく見せるものね。

タイユバン・ロブションの隣のテーブルには、キレイな女のコが二人、ソワレでドレスアップして座っていた。モデルかなあ、と思うぐらいの美形であったが、男の人なしで友人の誕生日を祝おうということらしい。こういう美人が二人、うんと綺麗に着飾って、しかも女だけというのは最高に親切にしてくれる。お店の人たちが、バースデイケーキを運んで祝っていたっけ。

もちろん、こういう豪華レストランでも、普通の格好している人たちは何人もいる。いかにも会社帰りといった服装の人たちも、多かった。が、そういう女性たちが、ソワレ姿の人たちに比べて、ちょっとカッコ悪く見えた。今は、そういう時代なんだ。

そして次の日は、パーク ハイアット・ホテルでサロンコンサートがあった。有名なソプラノ歌手が来日して、たった数十人の観客のために歌うのだ。カクテルパーティもある。

昨夜の失敗を繰り返すまいと、私はクローゼットの中からとにかく〝ヒカリもの〟を探した。このあいだのバーゲンで買ったダナ キャランの黒いスカート。これはタフタで出来ていて、ちょっと長め。中に綿が入っていてふんわりとふくらんでいる。これにビロウドのTシャツを着て、四年前に買った黒ラメのカーディガンを組み合わせた。後はラメのショール、フェンディの黒ラメのハンドバッグと、全身それっぽくコーディネイトしてみた。

私は宝石をほとんど持っていないのであるが、ずっと昔、夫から貰ったエンゲージリングでもしましょう。これはヴァン・クリーフの、とてもシンプルなダイヤなのよ。

私は最近、とても照明ということを考える。なぜならば、女の顔をよく見せるか、悪く見せるかというのも、店の照明ひとつなのである。私が時々行く青山のイタリアンレストランは、このへんがよく考慮されていて、上からの照明をいったん白い布でおおっている。オーナーに聞いたところ、

「うちはデイトに使うお客さんが多いから、うんと照明には工夫した」

ということであった。先日、女友だちと二人向かい合って座ったが、

「ちょっとォ、今日はどうしたのよォ」

と聞きたいぐらい美人に見えたのである。

が、油断は出来ない。この店は一階だからいいが、エレベーターを使うレストランだと、乗ったとたん、今までのいい雰囲気がいっぺんに醒めるということがよくある。白々とした蛍光灯の下、食事の後のちょっと化粧がはがれた顔なんか、見られたらたまらんわい。

昔デイトに使ったが、外苑前の超ファッショナブルなレストラン「マニン」では、エレベーターの中は小さなピンライトひとつ、恋人たちが自然にキスするように設計されていた。

そうよお、頭のいい女は明かりを制す。夜はヒカリもんを動員させ、エレベーターの照明にも気を遣う。そういうコトは、昼ではなく夜起こるんだもの。頑張らなくちゃ。

温泉映えする女

みんなで温泉へ遊びに行った。男友だちも一緒である。ここは秘湯の中でも特に人気が高く、大きな混浴露天風呂があるという。

「みんなで一緒に入って、中でお酒飲むと楽しいよ」

と誘われる。

「あ〜あ」

私はため息をついた。

「ナンダカンダ言っても、一年前にはそれなりに自信もあったけど、もうヒト様にお見せ出来ないわ……」

これから恋をするとしても、もうプラトニックしかないと決心している私なのである。いく

ら親しい友人ばかりだといっても、混浴はちょっとねぇ……。それに中には、私がちょっと憧れている建築家のA氏もいるではないか。ヘンなもん見せて、彼に嫌われたくないわと、思いは千々に乱れる。

「平気、平気」

この温泉を案内してくれた、別の男友だちが言った。

「ここはランプのあかりひとつしかないし、温泉は白く濁っているんだよ。入る時にバスタオルを巻いて中で取る。そうしたら何も見えないよ」

最初に女だけで入ったら、確かに薄闇の世界である。温泉はミルクのように白く濁っているし、これなら何も見えないはずだ。それにこういう山奥に来てまで、見えた、見えないは、ちょっとハシタない感じ。そお、みんな大らかにならなきゃいけないのよね。

話は突然変わるが、スキー場へ行くと男のランキングが入れ替わるように、温泉へ行くと女のランキングも変わってくることがある。都会にいる時は、ジミで目立たなかった女のコが、結構ナイスバディだったり、浴衣姿が色っぽかったり、素顔が綺麗だったりすることもある。

大学生の頃、友人と旅行したら、朝の私の顔を見て、しみじみと言った男の子がいたっけ。

「マリちゃんって、肌がキレイなんだねぇ……」

そお、お化粧をする前の私の肌って、二十歳当時は白くさえざえとしていたのよね……。まあ、それで何かが起こったわけでもないけれど、とにかく温泉旅行というのは女の美点を発見してもらういいチャンスである。

だけど私には、もうそんな野心はないわ。白いお湯の中で、私はのびのび体を伸ばし「川島なお美――」と叫んで結構受けた。これはどういうことかというと、映画「鍵」のポスターを思い出していただきたい。素っ裸のなお美嬢が、うっとりと浴槽に横たわっている写真である。

やがて男の人たちがお酒を持って、どやどやとお風呂に入ってきた。中でビールや日本酒を飲んで、とっても楽しい。が、びっくりすることがあった。今回初めて会ったOLのB子さんが、岩に置いたビールに手を伸ばすたびに、上半身をお湯からぐーんとあらわにするのだ。おっぱいが丸見えになって目のやり場に困る。かなり大きな胸が、ゆらゆら揺れるのだ。いくら無礼講の混浴といっても、ここまで見せてもいいのかしらん。いやいや、みんなが裸のつき合いを楽しむ場なんだから、私のようにかたくなになるのもおかしいかもしれないと、反省する。

B子さんは胸も大きく、ウエストもきゅっとくびれていてなかなか素敵。ものすごくコケティッシュな顔立ちで、アップのうなじも色っぽいぞい。そうね、こういう人だから、こんなに天真爛漫にふるまえるのね。私って、イヤね。コンプレックスがあると、こういう時、自然に明るくふるまえないのね……。A氏が寄ってきて、言う。

「ハヤシさんって、本当に用心深いよね」

こんなのって、こんな場合、決して誉め言葉にならないと思うわ。お湯にあたった私は、バスタオルを巻いて早々に出てきたのでありました。

そしてその後、宴会があり、私は途中で眠ってしまったけれど、またみんなは、露天風呂に入ったようだ。Ｂ子さんも、他の若い女のコたちもぐでんぐでんに酔っぱらっていて、男の人たちに言わせると、

「お風呂の縁に腰かけて、もうヘアまでばっちり見えた」

ということである。

そして次の日、意外なことが判明した。な、なんと、あの色っぽいＢ子さんは私よりも年上だったのである！　男友だちの一人は言う。

「あのおっぱいからして、エステへ行って相当努力しているんだろうなあ、見てあげるのも功徳だと思った」

私がこの話をテツオにしたら、何だかよくわからないが急に怒りだした。

「けー、その年で見せようなんて、どういう根性してるんだろうなあー」

「でもすごくいい体してたよ。あれなら見せてもいいんじゃないかしら。私は身のほど知ってるから、お湯の中で肩から下は絶対に見せなかったけどさ」

「あったり前だよ。それがマナーっていうもんだ」

ウチの夫も怒った。

「みっともないもん見せんな」

私はとても悲しかった。

アユの友釣り作戦

「アンアン」のお姉さん雑誌「ギンザ」は、私の愛読誌である。このあいだの特集は、「ジル・サンダーがおしゃれ上級者に支持される理由」だって。これは私のことじゃないかしらん。ついこのあいだ、ジル・サンダー青山店へ行き、どっちゃり冬物を買ったばかりなのである。パンツ二枚にニット、ダウンジャケットに靴二足、あそこはお値段がいいもんで、もう大散財でありました。

ジル・サンダーは、最近女優さんもよく着ている。昨年のこと、紀尾井町店に行ったらとても目立つコがいた。眼鏡をかけて、あっさりした格好をしているのであるが、キレイキレイ光線をあたりに放っていた。ようく見たら、鈴木保奈美ちゃんだった。

それからすぐ婚約記者会見があったのであるが、あの時着ていたのはジルである。もしかすると、記者会見用のお洋服を買っていたのかもしれない。

このあいだ青山店でお買い物をしていた時は、すぐ目の前でコートのラックを見ている女の人がいた。後ろ姿であったが、

「ふつうの人じゃない！」

と私は確信した。着ているものがアカぬけていたうえに、脚の形がとてもキレイなのだ。ものすごく暑い秋の日が続いていた頃で、その人は素足だったのだが、ふくらはぎの白さが目をひいた。

やがて彼女は振り返る。なんと鈴木京香さんじゃないの。キレイなのは当たり前よね。彼女とわかって、私は私なりに気を遣いました。彼女が試着室に入ろうとしていたので、その前のソファから移動して、遠く離れた椅子に腰掛け、靴の試し履きを続けた。

そりゃ、そうでしょう。試着室の前にハヤシマリコがどっかり座っていたら嫌な感じよね。帰りがけ、私が店を出ようとすると、鈴木さんも試着室を出て私に軽く会釈をしてくださった。私は申し訳ない思いで胸がいっぱいになる。

こんな美しい女優さんに気を遣わせちゃってごめんね。私はそんなに、こうるさい意地悪い女じゃないのよ。何でもかんでも書いちゃう女じゃないのよ（書いちゃったけどさア）。なんてことを私は言いたかったわけ。

そう、そう「ギンザ」はね、かの野口強さんが業界を越えた有名人としていっぱい登場して

いる。野口さんというのは、そお、かの中山美穂ちゃんの彼だ。その前は松たか子ちゃんとも噂があった。モデルをしていたぐらいだからすごい美形の、売れっ子スタイリストである。「ギンザ」は、この野口さんがホストの対談ページもあるし、彼が最近買った小物から、住んでいるお部屋、いきつけのお店までちゃんとグラビアで紹介されている。まるでSMAPか金城武みたいだ。

それにしても、世の中変わったとつくづく思う。ちょっと前まで、女優さんのお相手というのは映画監督とかテレビディレクターであった。ヘアメイクとかスタイリストというのは、女性が多い職業ゆえに、ちょっと女っぽいイメージがあった。恋愛の相手にスタイリストというのは、私の長いワイドショー&女性週刊誌人生でもあまり聞いたことがない。

ところが今や、芸能人恋愛図の中心は、スタイリストである。ヘアメイクや美容師の人気は凄くて、いま女子高生が恋人にしたい職業のナンバー1は、美容師さんだという。

これはやっぱり〝癒し〟というものなんだろうか。女だったら、誰でも経験があると思うが、体に触れてくる人というのは、それだけで特別の感情を持ってしまう。担当の美容師さんには、心を許していろんなことを喋ることがある。撮影の時は緊張を強いられるものであるが、ヘアメイクさんやスタイリストは、個室に入って女優さんを励まし、元気づけ、ずうっと味方になってくれる。あれがやっぱり恋愛感情に発展するんだろうか。

テツオは野口氏と仲がいいみたいだ。

「ギンザ」の〝野口〟特集でわかったのであるが、彼とテツオとは、かつて「花椿」で一緒に素人モデルをした仲だったのである！

私も彼には興味がある。天下の美女、ミポリンが惚れ込んだ男なのだ。どんな魅力に溢れているんだろうか。どんな話し方をするんだろうか。

野口氏はわかりやすいハンサムだが、私の知り合いのひとりで、外見はまるっきりサエないのだが、やたら女にモテる男がいる。彼はその昔、超美人の女優さんを恋人にしていた。どういうわけか本当に、つき合っていたのだ。彼はこのことが自慢で、話の端々に必ず出す。すると女たちは、

「あれだけの美女が好きになったんだから、きっと何か魅力があるのだろう」

と近づいてくるようだ。私はこれを「アユの友釣り作戦」と呼んでいる。つまりオトリの美人がひとりいれば、後は面白いように美人がひっかかってくるみたいだ。

が、女の場合この反対は起こらない。一回でもうんとハンサムとつき合うと、女たちからは嫉妬され、男からは「外見で相手を判断する女」と遠ざけられる。ブ男が美女を射止めると男は尊敬されるが、その反対は起こらない。

「彼女には、きっとすごい魅力が秘められているんだ」

なんて好意的にとる人は少ない。外からわかりづらい女の魅力って、本当に損よね。ああ、京香ぐらいの美貌を持っていたら……。

求む！　なお美ボディ

ある女性誌のインタビューを受けた。

「うちの雑誌で、『年齢と共にますます美しくなった人』というので特集をするんです。アンケートをしたら、桃井かおりさん、風吹ジュンさん、黒木瞳さんなんかと一緒に、ハヤシさんの名前も挙がりましたんで……」

私はもう嬉しくって涙が出そう。そう、やっと世間の人たちも、わかってくれたのね。ここまで来るのに、長くつらい道のりだったわ、くっくっ……（涙）。

やがて調子に乗った私は、ぺらぺら喋り出す。人のワルクチもいっぱいよ。

「ほら、○○さんっているじゃないですか。あの人がデビューした時、女の文化人でやっと美人が現れた。それまでの女は顔が邪悪な人ばっかりだったなんて、これ、私に対するあてつけだと思うけどさ、まあ彼女、ちやほやされたわけ。ところが今じゃどう、たまにテレビに出てくると、完璧にオバさんなのよ。もう着てるものもひどいのよ」

「じゃ、ハヤシさんはその時〟勝った〟と思うわけですね」

と意地悪く突っ込む女性編集者。やだー、思ってもそんなこと言えないわ。

「いえ、そんなことありませんけどね、ちょっと驚きますね」

キレイごと言う私の傍らで、カメラマンがパシャパシャとシャッターを切っていく。そしてポラが並べられた。

何よ、これ。顔がむくんじゃって、まるっきりオバさん顔じゃないか。今年買ったセリーヌのスカートはいてるんだけれども、チェックが裏目に出てすっかり太って見える。

先週、温泉へ遊びに行き、それこそ飲んじゃ食べ、食べちゃ飲むの生活をしてきた。そのタリはすっかり顎の線となって現れている。何なのよ、これ。こんな写真を出されたヒにゃ、

「女はやっぱり努力しなきゃいけません」

なんてほざいている私は、世間からバカと言われることであろう。私はすっかり落ち込んでしまった。

どうして私は、そんなにすぐデブになるんだろう。どうしてこんなに根性がないんだろうか……。読者の皆さんも、いつも太った、痩せた、なんていう話ばっかり聞いて飽きちゃったよね。

が、私は言いたい。女の精神性と肥満とは固く結ばれているのである。このあいだ男の人とデイトをした。常日頃から憎からず思っている人である。食事の後、バーへ行きます。横から男の人に見られます。この位置というのは、太っているとすぐわかる。お腹や背中の肉のつき具合、顎の弛みも一目瞭然。このところ太っている私は、男の人の視線を受けとめることが出来ず、途中から気もそぞろになってきた。もう一軒行こうと彼は誘ってくれたけども、そそくさ帰ってきた。あのバーの止まり木というのは、恋の温床である。あそこでたくさんの男と女の素敵な関係が生まれるのに、私はもうダメよね……。

このあいだは、女友だちから電話がかかってきた。

「○○さんのスケジュールが空いたって。再来週でどうかしら」

○○さんというのは、私がずうっと憧れているハンサムな男性だ。久しぶりに会おうかということになったのだ。私の女友だちが偶然にも、彼と一緒に仕事をしていて、まずは三人で食事という話が盛り上がったのである。

「それがダメなのよ」

私はほとんど涙ぐんでいる。

「今、ダイエットしているから、お願いだからもうちょっと待っててちょうだい」

もう本当につらい。おとといのこと、男友だちとお酒を飲んでいたら、次の店へ行こうということになった。そこにはなんと川島なお美さんがワインを飲んでいらした。私の友人と待ち合わせをしていたのだ。

信じられないぐらいきゃしゃで、細っこいなお美さん。初冬だというのに肩むき出しでミニスカートをはいておられた。私の男友だちは彼女の隣りに座り、隙を見て肩に時々触れたりする。わかるわ、その気持ち。肩のサイズも、首の細さも男の人の腕を待っているようなはかなさと美しさ。女はやっぱりこうでなきゃね。私はなお美さんに尋ねた。

「このあいだお書きになった『フルボディ』っていう本の中で、ワインを飲んだから醜くなったって言われたくない。ワインを飲む日は、朝からジムに通って何にも食べない、って書いてあったけど本当？」

私の不躾な質問にも、なお美さんは快く答えてくださった。

「ええ、そうよ。今日初めて口にしたのはこのワインよ」

夜の十時のことである。私はその後、運ばれてきたチーズをがつがつ食べ、ワインは人の残したものまで飲み、その後はラーメンまで食べた。私の顔はますますむくみ、目も細くなった。こうなってくると私の精神状態は最悪である。男の人は、ダイエットに励む女をバカにするが、あたり前じゃないか。太ったままじゃ恋する気も失せて、毎日がちっとも楽しくない。ああ、なお美さんのボディを三日間だけおくれ。そしたらいろんないいことが起こることを知って、私の人生も変わるかも。

私の体が目当てなのね

このあいだの「アンアン」の「セックス特集」、とっても勉強になりましたね。江角マキコさんの裸はとてもとても美しく、こういう人が自由でときはなたれた精神を持っていたら、もうこの世に敵なし、という感じですね。うーん羨ましい。恋愛に関して悩みなんてないように思ってしまう。

さて私は特集号の中の、読者の意見をつぶさに読んだ。そしてわかったことがある。今の世の中っていうのは、思っていた以上に二極分化が進んでいるんだ。ススんでいるコたちは、それSMは感じる、それ公園で人に見られながらやるともっと感じる、などと言ってタブーはほとんどない。男性とのことは体の相性がいちばんなのだから、恋愛はセックスから始まってあたり前という意見もある。それと反対に、古風なコはとっても古風だ。セックスから始まる恋

愛なんてとんでもない、と考えているコも多い。

こういうコにとって、恋愛とセックスとの関係はそう割り切れるものではないであろう。会うたびに彼から求められると、

「体だけが目的かしらん」

と疑いの目を持つ。何もされなきゃされないで、

「もう私のことは飽きちゃったんだ」

と悲しくなる。セックスは体を使ってする楽しいゲームと割り切る人には、ちょっと考えられないほど、いじいじした悩みが始まるわけだ。かつての私もそうであったが、自信のない女のコほど、男の人に対してとても疑り深い。そして不思議なことに、同時に計算高いのである。恋人が出来、ステディになって何度かセックスをする。好きな男だったら、それだけで満足すればいいのに、すぐに不満を持つのもこの種の女の特徴だ。つまり、

「こんなに何回も、しかもタダでさせているのに見返りがないじゃないか」

と思ってしまうわけですね。

モテる女、自分に自信のある女性というのは、ある種類の女を除いて自分のセックスに換金性を持たせない。私の知り合いでマスコミ関係（注・出版社ではない）に勤める女性は、キュートな美人でモテる。同じ会社の中で、しょっちゅう恋愛事件を起こしているそうだ。私は彼女に忠告したことがある。

「一業種ひとりっていうのは原則だけど、せめて一企業ひとり、にしたらどう」

もう一人居合わせた人が言った。

「会社のエレベーターが停まってあなたが乗り込むと、その中に必ずひとり過去に寝た男が乗っているっていう噂よ」

彼女はケラケラ笑って、

「そんなことはないよ。三台停まってひとり、ぐらいの割合じゃないかなぁ」

あっけらかんとしたもので、私はすごいなあとうなってしまった。よっぽど魅力と自信がなければ、こんなことは言えまい。

多くの庶民レベルの女は、セックスというものの快楽を、自分ひとりの満足として楽しむことが出来ないからめんどうになるのだ。

男の人と別れた直後、こう言う女が実に多い。

「私とさんざんしたくせに」

これはひどい例であるが、彼がなかなか抱いてくれないと文句を言っていた友人がいた。彼女があのテこのテを使って、やっとベッドへ誘い込んだ時は、女友だちみんなが祝福した。

「よかったねー、ホモじゃなかったんだ」

彼女が言うには、相手の男性はあまり女性に縁がなかったらしく、

「すぐに私のニクタイに溺れたのよ」

と自慢が続いた。ところが半年もしないうちに、彼は別れ話を持ち出したらしい。そうしたら彼女、何て言ったと思います？

「あんなに私の体をもてあそんだくせに。これはもう結婚詐欺よね。私はあの男の親や会社に言いつけてやる！」

私たちは開いた口がふさがらなかった。

まあ極端な話をしてしまったが、女のコにとって、男の人が自分を求めセックスしてくれるのはとても嬉しい。しかしこの嬉しさが重なってくると、傲慢な不安が目ざめてくるから困ったものである。

「私は、すぐ出来る、都合のいい女なんじゃないかしらん」

こういう女が世の中からいなくならない限り、やはり結婚という制限もなくならないのである。女特有の、

「私はタダでさせていて、損をしている」

という図々しい論理は、エンゲージリングをもらったとたん、瞬時に消え去るのだから。

が、結婚したとたん、また新たな悩みが始まる。なぜなら結婚というのは、エロスからほど遠いものだからだ。新婚の時はともかく、普通の夫婦はそんなにセックスをするもんじゃない。恋人だった男は、パジャマ姿のボサボサ髪に、オナラなんか平気でしたりする。めったに奥さんを抱いたりなんかしない。ここで多くの女が、

「結婚ってこんなものだったのね」

と悶々とするわけである。それを一度経験した賢明な女性というのは、もはやたやすく再婚しない。江角マキコさんを見よ。

とにかく恋愛とセックスという問題は、本当にむずかしく、悩みのタネが尽きないのでありますす。悩んだり苦しいこともあるけれども、まあ濃厚な幸福に彩られたりもするから始末に困る。「体が目的では」と疑うより、「私の体は目的にされるぐらいスゴい」と自信を持つ。とにかくポジティブに生きるしかないのです。

ブランド・マジック

このあいだグレイのフラノの、ロングスカートを買った。どんなトップにも合う便利モノである。パリで買った真っ赤な半袖ニットともいい感じ。

ところで話は変わるが、最近私はガードルをしている。ロングのハードなやつだ。ついこのあいだまで、いくらデブといってもガードルは必要としなかったのに、体型が変わるのはアッという間なのねえ……。ニクが憎いわ……。

ある日私はそのガードルを身につけ、グレイのロングスカートをはいた。このスカートは後ろのスリットがすごい。スカート丈はくるぶしまでの長さなのに、スリットは太ももの半分まででくる。私は家を出る前大丈夫と判断したのであるが、地下鉄の階段を上がり始めてふと気づいた。後ろからくすくす声が聞こえてくるではないか。そお、スリットからガードルが見えて

いたのね。

今までスリットからスリップやガードルをうっかり見せてしまうのは、アホなオバさんだけだと思ってたのに、この私がやってしまったのね。ああ、恥ずかしい。

が、こんなことは実はそう珍しくないことなのである。私はだらしないアバウトな性格のうえに、目が悪いときている。このあいだまでは近眼だったけど、この頃は気のせいか老眼もきてるような気がするの。私は家を出る時、絶対に黒いタイツだと思う。ところが外に出て外光の中で見ると紺のタイツだということがしょっちゅうである。

黒いニットには、たいてい猫の毛がついていると人は言う。が、これに関しては居直ってしまう私。

「クリーニングの袋から出したばかりのセーターに、猫っ毛がついていたとしたら、これはもう不可抗力というものであろう」

思えば子どもの時から、こうした失敗はしょっちゅうしてきた。高校の時、コートを脱ごうとしたら制服のスカートをはいていなかったことに気づいたことがある。これよりはひどくない例として（他人から見れば充分にひどいか）、冬の朝、スカートの中が何かもそもそするなあと思ったら、なんとパジャマの下をはいたままだったのだ。

そう、デブゆえの失敗も多いわね。私は自慢じゃないけど、スカートのホックをきちんと留められる可能性は、半分以下といってもいい。たいていがきついのを承知で買っているから、ホックをはずしたままなのだ。たまに痩せてゆるくなったり、きちんとしたサイズのものを手にし、ホックを留められる位置を得たとしても、ヘンに自虐的な気持ちになってしまうの。こういう気持ちって、したことのない人でなければわかるまい。つまりホックを留めようと思えば留められる喜びをじっと嚙みしめるが、それを遂行すると幸せが逃げていくような気がするの。

「私はホックをぴしっと留めることが出来るんだけれども、わざとそうしない余裕を味わおうとするわけですね。」

デブの人がだらしない印象を与えるのは、たぶん体型のせいだけではない。きっと洋服がぴっちりと身につかないせいだろう。

私は先日、ぴったりとしない服が、いかに人間をババッちく見せるか身にしみて感じたことがある。休暇で田舎へ帰った時のことだ。遠い親戚に不幸があり、親の代わりに葬儀に出席することになった。が、急のことだったので、私は東京から喪服を持ってきていない。仕方なく近所に住む従姉のものを借りることにした。従姉は私よりも十五歳年上で、私よりもやや太っている体型である。黒いダボダボのノーブランドの喪服を着た私を見て、従姉は驚いたように言ったもんだ。

「こういうの着ると、あんた、本当に田舎のオバさんだね」

私も鏡を見て本当にそう思った。サイズも好みも全然合わない服を着た私は、すごくつまらない顔をして五つぐらい老けてみえる。さっきまでジル・サンダーのパンツはいてた私とは別人よ。

私って頑張ってるのネと、しみじみ思った。世の中はブランド品のことを悪しざまに言う人も多いけど、あれは高いお金をかけて魔法をかけてもらうのね。服に愛と尊敬をはらう代償に、下にずり落ちそうになるところを何とかひっ張り上げてもらってるのね。

ちなみにその黒い服を着た私は、本当にタダの田舎のオバさんになって人々の中に混ざったらしく、同級生も知り合いも誰ひとり私に気づかなかったようだ。

やっぱり服は自分に合った素敵なものを着よう、それもミスをしないように着ようと決意した私である。

ところで、今年のパリ・コレに行った編集者やスタイリストの人たちが帰ってきた。

「今年はどこがいちばんよかった?」

と尋ねたところ、誰もが口を揃えてバルマンと言う。あら、ま、私の知らないところでまたデザイナー交替があったのね。が、私はまだバルマンを着たことがない。さっそく店に、リサーチすることにする。

「だけどハヤシさん、あそこはちょっとサイズが小さめかもしれませんよ」

うーん、またホックをちゃんと留めずにはくことになるのか。いいもんは着たいけどだらしなくはなりたくない。私はいつもこうした矛盾に苦しめられるのね。

ブスと老けは、伝染（うつ）るんです

　このあいだ、鹿児島へシンポジウムに行った。夜は地元の人たちと交流する宴会が開かれた。鹿児島はいい人ばかりで、自分のところで焼いた黒砂糖菓子やカルカンを持ってきてくれる。私が地元の女のコたち（女のコじゃない人もいたが）とぺちゃくちゃ喋っていたら、そのうちのひとりがこんなことを教えてくれた。

「ハヤシさん、鹿児島でいま話題になっている化粧品があるんですよ。桜島の石灰岩でつくった石鹸でキンゴ・キンゴっていうんです。これで顔を洗うと、すっごく白くなるんですよ」

　その時はへぇー、怪獣みたいなヘンな名前と思って聞いていたのであるが、その後わが家に、二人の方からキンゴ・キンゴが送られてきた。あの宴会に出席した女性からである。ホントにありがとう。

サンフランシスコから、友人が一時帰国した。錠剤の箱を四つもくれた。

「ハヤシさん、これ、アメリカで話題になっている薬ですけど、安全だしすごおく痩せるんですよ。うちの夫も信じなかった人なのに、一ヶ月で三キロも痩せました」

う、う、嬉しい、と私は涙にむせんだ。日本全国、いや世界が私の美と体重について心配してくれているのである。これで頑張らなければ、女がすたるというものである。ここのところ私は甘いものを我慢し、夕食も抜いている。会食が入っている時はめいっぱいいただくが、何も予定が無い時はリンゴを半分嚙ったりする。実は今日、テツオと久しぶりにデイトをすることになっているのであるが、彼も心配して当初のフランス料理を取りやめた。比較的カロリーの少ないイタリアンということになったのである。

さて話は突然飛ぶが、先週のこと、私はA子ちゃんと歌舞伎に出かけた。A子ちゃんというのは私の妹分で、とても素直なよいコである。一度も勤めたことがなく、東京の大学を出た後も、うちから仕送りで習い事をしている結構な身分だ。今どき珍しいぐらいおっとりとしたコで、顔だって正統派美人。

何かのきっかけでテツオに紹介したところ、

「お、すごく可愛いじゃん」

と、あの口の悪い男が珍しく誉めた。いや、珍しいというよりも、テツオが女のコのことを誉めたのを初めて聞いたので、びっくりした記憶がある。なにしろ彼ときたら、美人でも「頭がワルソー」「ビンボーたらしい」とすぐケチをつける。このあいだは文句のつけようのないぐらい素敵な美人のことを「インランが入っている」なんて言っていた。じゃあ綺麗で性格もよく感じのいいコに会わせて、これで文句ないだろうと思ったところ、

「ヤラせてくれそうもない女だから、嫌い」

だと。開いた口がふさがらなかった。その彼がA子ちゃんの電話番号を教えろと、私にしつこく喰い下がってきたのである。そのしつこさときたら、まさに〝本性見たり〟という感じであった。私が彼女のことをエッセイに書いた生の原稿を渡したところ、

「これ、A子の電話番号が、あぶり出しででてくんだろうな」

などと脅す始末である。A子ちゃんの方もまんざらでもないようで、

「教えて下さって、結構ですよ」

なんてそわそわしていたのであるが、あれから月日はたった。二十代半ばだったA子ちゃんも今や三十路。恋人も出来た。バツイチの四十幾つのオジさんである。これを機に彼女の雰囲気がちょっと変わってきたのも事実である。普通オジさんとつき合うと、いろいろものを買ってもらい派手になるものであるが、彼女の場合は地味になっていった。もとがお嬢さんなので、田舎のお母さんが買ってくれたちょっと野暮ったいブランドを着ている。その日歌舞伎座に現れた時、A子ちゃんはグレイのスーツ（下はフレアスカートとちょっとレトロ）に髪を後ろでお団子にし、近眼の眼鏡をかけていた。

「A子ちゃん、悪いけど、マガジンハウスまでイラストを届けたいんだけど、一緒に来てくれる？」

歌舞伎座の後、テツオのところへ行くことになっていた。ちなみにマガジンハウスは歌舞伎座の真裏である。社内の喫茶店にやってきたテツオは、A子ちゃんを見てひと言、

「老けたね——」

と叫んだ。からかいでも意地悪して言っているのでもない。本当に実感として口を滑らしたという感じだから、始末が悪い。

「ひ、ひどーい」

A子ちゃんは泣き出しそうになった。可哀想に、シロウトの女のコにこんなことを言うなんて。

「仕方ないわよね、A子ちゃんはオジさんとつき合ってるから、ちょっと地味になるのも」

私は心配で慰めたが、まるっきりフォローになっていないかも。

「ダメだよ、あのねぇー、ブスと老けは伝染するから気をつけなきゃ」

テツオは説教を始めたが、乙女心をどんなに傷つけているか気づかないようである。

私は思った。女のコにアドバイスをするのってなんてむずかしいんだろうか。特にデリケートな年頃の女のコはなおさらだよね。

が、私はデリケートな年頃をとっくに過ぎ、みんなアドバイスと同時に具体的なモノを送ってくださる。なんてありがたいんだろう。が、キンゴ・キンゴを十回使ったが、石灰岩はやはり年増にはきつ過ぎて、乾燥しちゃったよ。

先祖供養ダイエット

桜島の石灰岩でつくったキンゴ・キンゴのことは、先週お話ししたと思う。これは洗いあがりはさっぱりするが、年増で乾燥肌の私にはちょっときつい。

この他にも通販で買った×××など、私の化粧台のまわりには使いかけの化粧品がゴロゴロしている。コスメ・ライターになれると思うぐらい、私はいろんなものを試す時期があるかと思えば、すぐに飽きてそこいらにある残りものを無造作に使う時がある。

このあいだ、愛用しているリキッドが切れたのでRMK RUMIKOの売場へ行った。誰でも覚えがあると思うけど、めあてのものを一コ買って、店員さんがレジに行く。その隙に大急ぎでいろんなものを試しちゃうのよね。店員さんがいるところだとやりづらい化粧直しも、堂々とする。そして鏡を見た私は、ひえーっと小さな悲鳴を上げた。

このところ肌のお手入れをないがしろにしたため、ファンデーションが浮いているではないか。明るい照明の下で見ると、シャネルのピンクのアイシャドウがまるっきり似合わない。いけない、この私が、「美女入門」を書いたハヤシマリコが、こんな汚い化粧でデパートを歩くなんて。お肌は基本、というのがかねてよりの私の持論ではないか。私は顔立ちを誉められたことはないが、肌だけはよく誉められる。肌が整っていれば、薄化粧でOKだし、あか抜けた印象になるというものだ。

それがどう、ちょっと手を抜いたらこんなガサガサお肌になるなんて。私はさっそくエステを予約した。このところ忙しくて、ずっとサボっていたのである。

「ハヤシさん、この頃肌がくすんできたわね。前のピッカピカの肌はどうしたの?」

ベッドに横たわるなり、エステの先生に叱られた。が、いつものとおりマッサージしてもらいすっごくいい気持ち。うとうとし始めた私の耳元で、先生は急に低い声になった。

「ねえ、ハヤシさん、キレイになりたい?」

「なりたい、なりたい」

そりゃ、もう。

「あのね、私、信頼しているお客さんにしかお話ししていないんだけれどもね、マイナスの気を取り払うために、先祖供養してもらっているのよ」

「センゾクヨー?」

「私たちの肌がくすんだり、疲れやすくなるのは、みんな気がうまく動いてないからなのよ。これをよくするためにはね、一生懸命お祈りして、先祖を供養しなきゃいけないのよ」

なんだかおかしな話になってきたぞ。私は占いが大好きだけれども、こういう宗教系は苦手である。うんと若い時、面白半分に新興宗教に近づいていろいろ見たことがあるから、決して喰わず嫌いではないつもり。ただ、めんどうくさいことが、ノーサンキューなのだ。

しかし私は、次の言葉に反応した。

「ミカちゃんも先祖供養してもらって、七キロも痩せたのよ」

ミカちゃんというのは私の知り合いで、彼女もこのエステに通っているのである。

「痩せる神さまがついていてくれているんで、どんな節食をしても、まるっきり苦しくなかったんですって。一ヶ月であっという間に七キロ痩せて、もう服がぶかぶかなんですよ。ウソだと思うなら、ミカちゃんに聞いてごらんなさいよ」

私はさっそくミカちゃんのケイタイに電話をかけた。ミカちゃんは顔はややふっくらしているものの、ものすごくいいプロポーションである。あれ以上痩せたら、どうなるんだろうか。

「あら、マリコさん、久しぶり」

急激に痩せたのに、ミカちゃんは元気そうだ。七キロ痩せたのは本当だと彼女は言った。

「絶食したんですよ。痩せる神さまがついてるなんてウソ。すっごくつらかったもの」

彼女はとても素敵なプロポーションなのに、スポーツジムもちゃんと行っている。食べ物も控える。こういう根性だから七キロも痩せられたのだ。

が、私が七キロという数字に、心が動いたのは確かである。もしかしたら、そのマイナスの気を取り去ってくれるというお坊さんに会いに行ったかもしれない。

そういえば女のコが覚醒剤や麻薬に手を出すきっかけは、「痩せられるから」という言葉だという。アホだと笑う反面、私も恐ろしいことを考えたことがある。それは死ぬことはないけれどもかなり重い病気にかかり、何ヶ月も入院する。そしてげそーっと痩せて別人になりたいという願望だ。まさに手段を選ばず、という感じだ。

テツオは、よく私に言う。

「死ぬ気になりゃ、痩せるぐらい出来るだろ」

うちの母は、エステに行ったり、器械を買い込む私を見て、こう嘆く。

「お金をかけておいしいもの食べて、それでついちゃったお肉を、今度もっとお金をかけて落とす。おかしいよね。うんと貧しいもの食べてれば、タダで痩せるのに」

理屈は確かにそうだ。が、この世は快楽に充ちていて、それについ身をゆだねてしまった結果がこうなのよ。ご先祖さま、許してね。何もしてあげられないけど、あなたの子孫は結構幸せです。デブだけど。

モテる女は躊躇しない

テッオとフグを食べに行くことになった。フグはおいしい。おいしいが高い。だからたまにいただくことになると、平常心を持てなくなる私。それにさ、こういうことを言うとイヤらしいけどさー、私、フグはみみっちいことをしないで、三、四切れいっぺんに食べるのが好きなのよね。

それは、おととしのことであった。テッオを含めて三人で、ものすごい高級フグ屋に行った。けれども私以外の人は、遠慮してフグ刺しになかなか手を出さない。きれいな大皿に花びらのように飾ってあるお刺身が、だんだん乾いていくのが私は耐えられなかった。だから箸で何切れも取ったの。その時のことをテッオは未だに憶えていて、私をイジめる材料にする。

「〝フグのメリーゴーランド喰い〟というのを初めて見たよ。箸をこう回してさ、45度分ぐら

いのフグ刺しをつかんじゃってよォ」

が、今日はお行儀よくしなくてはいけない。

私たち以外に、評判の美女A子さんが一緒なのだ。A子さんは美しいことも美しいが、モテることでも有名である。あんまり人に言いふらさないタイプであるが、ものすごい成果をあげているらしい。

まずはビールで乾杯。その後はヒレ酒を頼む。ぐいぐい飲むA子さん。飲みっぷりのいいことも、いい女の条件である。いっぱい飲んで、適度に酔い、適度にかわいくなり、適度に男にからむ。

芸能関係の人に聞いた話であるが、これをやらせたら大竹しのぶさんが天下一品だそうだ。皆でお酒を飲んでいる時、料理のお皿をみんなで回して食べるとする。すると大竹さんは、一座の中で気に入った男の人を、集中してイジワルするんだそうだ。

あー、私の分も食べてひどいわー。ちゃんと分量考えないで、そんなにどっさり取るなんてデリカシーないわー、とかねちねち言うんだけど、それがものすごくかわいいというのだ。

「女の私でも、くらくらしちゃうんだから、男の人なんかたまんないと思うわ」

ふーむ、このテ、ちょっと使えそうな気がする。ひとりの男をコレ、と決め、満座の席でいびるというのは高等技術だが、少しずつ練習していこう。

それはそうと、ちょっと酔っぱらったA子さんは、テツオに目をつけ始めた。

「テッオさんって、やっぱりハンサムねー、特に唇がいいのよねー」

「そうですか」

照れて答えるテツオ。

「そうよォ、そのぶ厚い唇、なかなかセクシーよ。女の人にもよく言われるでしょう」

言われませんよ、とテツオは答えていたが、まんざらでもない気分だったらしい。帰りのタクシーで二人きりになった時にしみじみと言う。

「モテる女っていうのは、躊躇をしないんだ」

つまりためらったり、余計な演出をしたりしない。その時思ったことをすぐ口にする。相手の男がどう思おうとへっちゃらだ。自信があるから媚びる必要もない。思ったことをさらりと口にし、これがまたサマになるのである。

私だったら、

「唇がセクシーね」

とやはり男に言えない。相手がテツオでも言えないかも。気があるように思われたらどうしようかと、あれこれ考えてしまうのだ。その点、モテる女の人というのはとてもストレートである。私は同性にはわりとはっきりモノを言えるのだけれども、男の人にはヘタに気を遣ってしまう悲しいサガである。

そういえば大昔のことになるが、一世を風靡したドラマ「東京ラブストーリー」の中で、リカがカンチに向かって叫ぶ。

「ねぇー、セックスしようよー」

というのは、女のコたちに受けに受けた。

が、リカちゃんがイマイチの顔とプロポーションだったら、あんなことが言えたであろうか。

ああいう風に叫ぶからには、やはりかなりの自信があるに違いない。

庶民レベルの女は、どうやったらストレートかつ素直になれるのであろうか。私はプラス方向の言葉なら、少々不躾でもすぐ口にすることを、この頃心がけている。

「わ、ステキな人」

「ま、キレイな彼女ですね」

という言葉が、自然に品よく出てきたらしめたものだ。ヘタをすると、オバさんっぽくなるから気をつけなきゃね。究極はA子さんのように、男の人の体の一部、唇だとか手を誉めても、イヤらしく聞こえないようにすることであろう。これは修業の足りない女が、めったに出来るもんじゃない。

では私も勇気を出して、ストレートに言ってみようではないか。

「テツオさーん、もう一回フグをおごってくれー」

食べもの関係ならすんなり出てくる私であるが、なんか情けないような気がしないでもない。

こんな男(ヤツ)がいなければ

「おい、グッドニュースだぜ」

テツオから電話がかかってきた。

「ルミコさんが来日するからさ、あんたと対談してもらうよ。それからルミコさんに、美女になるメイク、っていうのをしてもらうんだぜ、すごいだろ」

ご存知のとおり、ルミコさんというのは、渡米して一流メイクアップ・アーティストになった伝説の女性である。最近は自分のブランド「RMK RUMIKO」も手がけて、これもすごい人気だ。ちなみに私のファンデーションは、この二年ぐらい「RMK」を使っている。薄づきでナチュラル。とってもいい感じだ。

ところでついこのあいだ、私の胸を痛める事件があった。某週刊誌の差別問題である。お正

月特集号ということで、どこも大きな企画を組む。そこの週刊誌のグラビアは「ミレニアム美女」ということで、九〇年代を飾った美女たちをずらりと並べている。それはいいとして、同じ号で私は対談に出ているのである。新聞を広げてむっとした。私の顔写真も大きく広告に載っていて、その横にずらり「ミレニアム美女」が配置されている。ほぼ同じ大きさだ。それなのにちゃんと配慮されていて「混ざらないように」、線がひかれていたのである。

これって本当に失礼じゃないだろうか。私ひとりぐらい紛れ込んだとしても、何の違和感があるだろうか。こうなったら、ルミコさんによって、本物の美女にしてもらおう。

さてスタジオに現れたルミコさんは、年齢不詳、国籍不明、いってみればバービー人形のようにキレイな人である。真冬なのにノースリーブのニットを着てカッコいいぞい。片や私は、ここのところ会食続きで、毎晩のようにイタリアン、フレンチ、ワインと食していたから顔が丸くぽってりしている。大層恥ずかしい。

だけど眠りと栄養が足りているので、わりと肌の調子がいい感じ。ルミコさんはまんざらお世辞でなさそうに言った。

「ハヤシさんって、本当に肌がキレイですねぇー。シミやシワが全然無いですね」

それから、私のメイクが始まった。私も何人もの一流ヘア&メイクアップ・アーティストと呼ばれる人に顔をいじってもらったことがある。嶋田ちあきさん、藤原美智子さんという、両巨頭にメイクしてもらった幸せ者である。が、ルミコさんは、その誰とも違っていた。わりと無造作に、自然な感じでメイクをしていく。たとえば、アイライン、リップのラインをひく時、日本の人はそれこそ息を詰めて、0・001ミリに命をかけて線をつくっていく。が、ルミコさんは違うのだ。楽しそうにお喋りしながらメイクが続く。私が思うに、彼女がいつも相手をしているスーパーモデルやハリウッドの女優さんたちは、ものすごくナーバスな人たちではないだろうか。そういう人たちに向けて、こちらがナーバスになると、むこうもピリピリしてくる。特に肌に触れる人というのは、その人の精神状態がそのまま伝わってくるものね。

ルミコさんは、あるスーパーモデルの話をしてくれた。やはりものすごく我儘なことを言うけれども、それは疲れているのと緊張しているせいだ。

「そういう時は、横になってもらって、寝たままメイクをしてあげるのよ」

だって。きっといろいろ大変なこともあるんだろうけれども、とてもナチュラルな女性である。そんなにお喋りもしないのに、一緒にいるとリラックス出来るやさしさが漂ってくる。

ルミコさんは言った。

「ハヤシさんって、目が大きくてとても可愛いわ。それよりもステキなのは唇ね。ぽってりしていていいわ、可愛いわ」

ルミコさんが正直で、お世辞なんか言えない人だということがすぐにわかった。それで私は尋ねてみる。

「肌もキレイで、目も可愛い。唇もステキ。それなのに私って、どうして人から美人って言われないんでしょうか」

一瞬沈黙があった。あれ、へんな空気。スタイリストのマサエちゃんも、ルミコさんのアシスタントもおし黙ってしまった。

ややあって、ルミコさんは口を開いた。

「それは……、自信がないからでしょう」

そうか、そうだったのね。長年の疑問がやっと解けたわ。そーよ、そーよ、世間じゃあのレベルで美人の称号を貰っている人もいる。私だってひるむことなく、図々しく振るまえばよかったんだわ。

その日、すぐにテツオから電話があった。

「あんたって、つまんないことを言ったらしいな」

もう誰かが報告したのね。

「だけどルミコさんもさー、気の毒だよな。口が滑ってお世辞を連発したら、鋭いツッコミを入れられたんだからなあ」

ヒッヒッ、喜んでいる。なんてイヤな男なんだろうか。私は思う。こういう男の存在が私から自信を奪ったのだ。こういう男の言葉が、私を美女から遠去けたのだ。

このルミコさんとの対談は、もう読んでいただけましたね。ちなみにルミコさんは顔が小さく、一緒に並ぶと私はとても不利であった。

〝お肉〟の効用

昨年の暮れからお正月にかけて、ミレニアムということでやたら昔の番組が流れた。十五年前、二十年前の歌番組を見ると、アイドルたちのダサい衣裳に唖然としてしまう。百恵ちゃんなんか、白いウエストマークのワンピースに、胸元にコサージュを飾っている。今どきどんな田舎の結婚式でも、こんな格好してる人いないぞ。他の人もペラペラのひどいドレス着ていて、何だかアジアの発展途上国のテレビ番組見ているみたい。おそらくこの頃、スターに付くスタイリストという人たちはいなかったんだろう。

それよりも驚いたのは、解散直前のキャンディーズである。舞台の上で水着そのもののコスチュームを着て歌っているのだ。太ももがむき出しだ。昔の歌手の方がずっと大胆というのも面白い話である。そして衣裳は大胆なのにひきかえ、体がずっとぽっちゃりしていることにび

本当にこんな格好で踊ってた

っくりした。右端のスーちゃんときたら、胸や肩のあたりにおいしそうなお肉がぽちゃぽちゃついている。これがものすごくエロティックなのだ。こんなエッチっぽいもん、テレビで流していいのー、と叫びたくなるくらい、胸や太ももがむっちりしているのである。昔からスーちゃんファンの男性は結構多かったが、こういうことだったのだ。

今、テレビに出ている人で、こんなにお肉がついている人はいまい（森公美子さんとかは別）。もちろんスーちゃんが健康で、今の人が不健康にガリガリに痩せていると思う。時々対談などで若いタレントさんに会うことがあるが、みんな信じられない細さで手の甲なんか筋張っているぞ。

西田ひかるちゃんに会ったら、メリハリのきいたものすごく素敵なボディをしていた。胸はバーンと出ていて、ウエストはくびれている女らしい曲線。

「理想的な体型をしてるわよね」

と言ったところ、

「それがテレビに映ると、私みたいなのダメなんです」

ちょっぴり残念そうに言った。

「テレビだと、すっごく太って見えるんですよねえー」

そういえばあるパーティで、ある女優さんに会ったところ、私は思わずキャッと叫んでしまった。痩せてる、なんてもんじゃない。ドレスから出ている胸は、骨が浮き出ているし、頬に

は斜めの線が走ってる。青白くて今にも倒れそう。私はそのうち週刊誌やワイドショーで、

「女優の○○○子、拒食症で入院」

と騒ぎ出すと思っていた。が、そんなことはなく、女性誌の表紙に写っていた彼女を見て、これまた、えーっと叫んだ。ほっそりとした美しい女性、という印象しかないのだ。

テレビや写真のレンズというのは、二割増しになるというのはこういうことなんだ。だからタレントさんは、異常と思えるぐらい痩せてるんだわ。

ところで正月のテレビは、昔のビッグアイドル、ピンク・レディーの二人も映し出していた。そして現在の再結成した二人が出てきて同じように踊る。

人間ってこんなにも変わるのかしらんと、私はため息をつく。二十年前の彼女たちというのは、どんな風に飾っていてもイモっぽい。やや猫背でおどおどしている感じ。太もものあたりにもわりとお肉がついている。

そこへいくと現在のピンク・レディーときたら、ぜい肉は見事にそぎ落とされて足もぐーんと長くなっている。メークのうまさときたら、昔と比較にならない。二十年前よりも、今の彼女たちは百倍洗練され、百倍カッコいい。けれどもスターとしてのオーラは、百分の一になっていることに私は気づく。

あのあんまりアカぬけないピンク・レディーの方が、ずっと強い光を放っていたのである。本当に芸能人というのは不思議だな。いや、女というのは不思議だ。その人がいちばん売れて

いる時が、美しさのピークとは限らないのである。それどころか無意識で持っていたり、無防備なものがものすごい魅力を放つことがあるのだ。

お肉もそのひとつだ。今日、久しぶりにエステに行ったら、スタッフのひとりが青ざめた顔でふらふらしながら寄ってきた。

「ハヤシさん、見てください。私、四キロも痩せたんですよ……」

なんでも三日間水だけ飲んで、後の四日はプロテインを口にするやり方だそうだ。

バカなことはやめなさいよと、私は怒鳴った。

「あなたみたいにもともと細い人が、どうしてダイエットするの」

「でも、下半身に、わりとお肉がついていたんですよ」

何もわかってないなと私は思った。もしダイエットを男の人のためにしようとするならばよく考えた方がいい。もちろんデブは嫌われるが、たいていの男の人というのは、むっちりとした太ももや、ぽちゃぽちゃとした二の腕が大好きだ。それは女としての無意識の部分である。お肉というのは、無垢の女の、無邪気な愛らしさでもある。

だから男の人たちは、スーちゃんやピンク・レディーをあんなに愛したのである。西田ひかるちゃんも、男の人の人気はバツグンだ。テレビやグラビアに出ることもないシロウトの女のコが、どうしてガリガリになろうとするのか私には理解出来ない。贅沢な勘違いである。

サイモンさんの予言

この本が出る頃には、古い話になっていると思うが、小柳ルミ子さんの離婚会見、すごかったですね。

芸能活動をきっぱりやめるか、それとも一億円払うか、と言って迫り、

「社会人としての責任を持たせるために、心を鬼にしました」

だって。どこかの男性週刊誌が、

「とっくに鬼みたいじゃないか」

なんて書いていた。どうも男の人たちは、この離婚騒動について、小柳ルミ子側をすっかり悪と決めつけているようだ。

「大澄賢也じゃなくても、これじゃあ男は誰だって別れたくなる」

だってさ。ちょっとひどい書き方である。それにひきかえ、女の方は俄然歯切れが悪い。

「気持ちはわかるけどさー、あそこまでしなくってもさー」

「だけどさー、あそこまでしなくっちゃ、ふっきれなかったんじゃないの……」

と嫌悪と同情が入り混じっている感じ。

ところでこの記者会見の次の日、久しぶりにサイモンさんと会った。私はさっそく意気込んで言う。

「サイモンさんはすごいわ。十年前にこのことを予言していたんだもんね」

あの頃、ルミ子&賢也というのは、ラブラブイチャイチャコンビとしてまわりの人を啞然とさせていた。特に結婚式の時の長い長いディープキスというのは、当時何といおうか年上女と年下ツバメ男とのイコンのように光り輝く像になっていたのである。

「自分で力がある女は、ああいう風に若い男を愛し育てていくのもいいかもね」

という風潮が世間に流れる中、〝待った〟をかけたのが、サイモンさんだったのである。サイモンさんはエッセイの中で、

「ルミ子とケンヤとの仲は、強い母と甘ったれ坊やの関係そのままである。ケンヤがやがて自信を持ち自立したいと思った時、親離れするように、ルミ子から逃れたいと思うに違いない」

今思うと正論そのものなのであるが、これをルミ子さんが読んだらしい。そして激怒した。

「私たちは絶対に別れません」

「あの頃さ、週刊誌やワイドショーがやってきて、『ルミ子VS柴門ふみの大喧嘩』なんて書かれたこともあるのよ。だけどさ、今度の離婚の時は誰も来ないの。だから私の正しさは証明されないのよ」

サイモンさんはちょっぴり口惜しそう。仕方ない、世間の人というのはとても忘れっぽいのである。でも、ちゃんと私は憶えてるよ。自慢にもならないけど。

ところで私のまわりでも、年下男に入れ上げてる例が実に多い。そして八割がた別れている。そのうちのひとりは、ルミ子問題に関してこう発言している。

「仕方ないのよー、若い男が年上の女を捨てるのは、これはもう世の習いなのよ」

その時は口惜しくて悲しくて胸が張り裂けそうになるけれども、とにかく仕方ないことだと自分に言いきかせるそうだ。なぜこのように口惜しくなるかというと、最初のうち年下男ほど、積極的で情熱的に迫ってくるからである。女はそんなにバカじゃない。特に私の友人たちのように、分別ある女たちは一応年下クンを拒否する。

「私を幾つだと思ってるのよ」

「やめてよ。私たちがうまくいくはずないでしょう」

ところが年下クンの方は絶対に諦めない。愛しているとか、あなた以外の女の人など考えられないとか、普通の人の五倍以上力を込めて口説く。だからついふらっとなる。つき合えばつき合ったで、年下クンは可愛い。甘えてくるのもうまいし、強がり言ったりするのも可愛い。

それで女の方の気持ちが傾いてくると、男の方はうるさがってくる。女はアレッと思う。そして男を責める。そして追う。口説かれた時の印象があまりにも強烈なので、女はこんなはずじゃなかったと思ってもっと追う。そして男はさらに逃げる。これはよくある年上女と年下クンのパターンだ。男と女の関係というものは、すべてシーソーになっている。片方が重くなると片方が軽くなるというのは、誰でも知っている真実だ。しかし年上女と年下クンの関係というのは、このシーソーゲームがとても早く突然に始まり、すごい勢いでぎったんばったんになってしまう。これがつらいところですね。

私は自慢じゃないけれども、今まで年下の男に心をひかれたことがない。一度だけ二歳年下とつき合ったことがあるが、二歳ぐらいなら今の時代、どうってことはないだろう。どうせ捨てられるのがわかっているうえに、年下の男を恋人に持つと、自分の容貌への不安、他の女への不安、猜疑心というものも二倍のボリュームでやってくるような気がするのだ。が、私の友人は言う。本当の恋の醍醐味を味わうには、年下の男でなくてはダメなんだと。

「眠っている時の肌なんか、若いコだとすべすべして綺麗。その寝顔見ながら、この男を絶対に他の女に渡すものかという思い。あれはなかなかいいもんですよ」

恋は本当に奥が深い。マゾっ気の極致というべきものをわざわざ味わうわけだ。そして別れたら別れたで、サドに転じる。こんな気持ちの揺れを楽しむんだったら、よっぽど女に余裕がなけりゃ。私には絶対ムリ。

同じサイズ、違うボディ

サイモンさんが私に言った。

「ねえ、ハヤシさん、最近ジル・サンダーを着てるんでしょ。私もあそこへ行きたいんだけど、ひとりじゃ入りづらいのよ。今度行く時、一緒に連れていってくれないかしら」

私にも経験があるが、知らない高級ブティックに入るというのは、そりゃあ緊張するんである。特に私はサイズのこともあるしさあ、見知らぬところへ行くのはそりゃあ勇気がいる。

「あら、私だってそうよ」

とサイモンさん。

「このあいだジル・サンダーのお店、ちらっと入ったらサイズが38までしかないのよ。たいていが36なんだもの、イヤになっちゃう」

これはサイモンさんが間違っている。ドイツサイズというのは、イタリアンやフレンチのサイズよりも小さく表示されているのだ。サイズ38は、40か42と思ってもいい。

「サイモンさんはサイズ、幾つなの」

「○よ」

驚いたことに、ほっそりと小柄なサイモンさんと私とは、ワンサイズしか違っていなかったのである（もちろんボトムは別）。

「だって私、胸が大きいから」

あー、ねー、そう、実はサイモンさんはすっごいナイスバディなのである。胸はバーンとあって、ウエストはほっそりという実に羨ましい体型なのだ。こういう人は何でも似合うと思うんだけど、

「でもさー、ジル・サンダーって本当に入りづらいじゃない。値段も高いしさ。このあいだもちらっと入って、私、すぐに出てきちゃったのよ」

そんなわけで土曜日の昼下がり、二人で青山で待ち合わせをし、ジル・サンダーのお店に向かった。

「ジルって、必ずっていっていいくらい芸能人に会うんだよ」

と、歩きながら私は説明した。

「このあいだは鈴木京香、間近で見ちゃったよ。本当にキレイだったよ」

お店に着くと、アポイントメントを入れておいたので、担当の人が待っていてくれていた。口に出しては言わないけれど、私のサイズを探すために、この人はどんなに苦労しているかと思うと本当に申しわけないような気がするの。

その日、私のために用意してくれたのは黒のパンツスーツに、パンツ、ジャケットなんかである。サイモンさんは紺色のスーツを試着してたけど、とてもよく似合っている。ちょっとブリーチした髪がカッコいいぞ。

実は私たちって美容院も同じなのである。テツオの強いお勧めで、私とサイモンさんは美容院を変えた。そこの美容院はマガジンハウス御用達といってもいいところで、最新の髪を上手にアレンジしてくれる。

今、「ビューティフル ライフ」が絶好調の北川悦吏子さんもここの常連だ。髪もバッチリ、洋服もジル・サンダー着て、私って都会の最高にカッコいい女……のはずなんだけど鏡に映っている私は何か違うわねえ。

実はおととい、ジル・サンダーの白いダウンを着ていたら、テツオがニヤニヤしながら言った。

「今どき白いヤッケなんか着てる。ハイキングにでも行くのかよー」

「失礼ね、これジルよ、ジル・サンダー。おジルよ！」

「へー、失礼しました。もうこうなったら、ジル・サンダーって表に書いといたらどうなんだよ」

と、さんざんバカにされたばかりなのである。でも私は買いました。このあいだ出した本の印税のことを計算しながらも、とにかく買うわ。欲しいものは欲しいのよッ。

すると目の前に人の気配。サングラスをかけた背の高い男の人と、赤いコートの女性。な、なんと石橋貴明、鈴木保奈美夫妻じゃないの。私が喜びにうち震えたのは言うまでもない。石橋さんには十年前、二回ぐらい会ったことがあるので、図々しく話しかけた。保奈美さんは初めてだが構うことはないわ。こんなスターに会えるのはめったにないことである。

「私、サイモンさんと一緒なんですよ」

そお、強い味方のサイモンさん。彼女は保奈美人気がブレイクした「東京ラブストーリー」の原作者なのである。保奈美ちゃんとサイモンさんも、会うのが十年ぶりだそうで、懐かしそうに話していた。

それにしても保奈美ちゃんって、やっぱりキレイ。美人といってもそこらの美人とはレベルが違う。オーラが漂っているような美しさである。こんな人を近くで見られて、やっぱり青山に来てよかったわ。

次の日、サイモンさんからお礼のファクシミリが届いた。

「ハヤシさんと一緒にいると、いつも大物芸能人と会えるのはなぜでしょうか」

だって。これって誉められてるのかなあ。

私は次の用事があったので先に帰ったのであるが、サイモンさんはあれこれ買い、○○万円（特に秘す）もお支払いになったそうだ。

「中村うさぎは無理でも、今年は中村ハムスターか中村モルモットぐらいになりたい」

という決意が書かれていた。実はこの私、サイモンさんよりもずっと多く買い物をしていたのである。

家のローンはあるし、風呂場は直さなきゃいけないし、車検もあるし、税金ももうじき払わなくてはならない苦しい生活が続いているが、やっぱり洋服は買うわ、と私も心を決めた。美女という尊称は永遠に無理だとしても、頑張って「おしゃれでセンスのいい女」といつか言われたいの。私はなるぞ、大うさぎ。

祝！　三十周年

「アンアン」がめでたく三十周年を迎えるそうである。本当にめでたい。

ひと口に三十年といっても、ずぅーっと日本の女のコたちをリードする人気の雑誌でいられたということはスゴいことである。

三十年前、私が何をしていたかというとですね、言いたくないけど田舎の中三か高一かしらん。ファッションとか流行とかいうものとは全く無縁の生活をおくっていた。あの頃は女のコの着るものなんかあんまり売っていなかったし、外出するのは制服という時代である。けれども私と「アンアン」との絆は、その頃からちゃんと結ばれていたのだ。

『「アンアン」創刊記念・キャッチフレーズ募集』というのに応募したところ、選外ではあったがタオル地のポーチが送られてきたのである。茶色のタオル地のとてもステキなポーチだ。

30年前の私がもらった
アンアンのポーチ

ところが今、マガジンハウスの古い社員の方に聞いても、

「そんなものは見たことがない」

という。が、私は確かに手にしていたのである。

それからいろんなことがあったわ。大学生の時はトラッド全盛期で、私は典型的な女子大生ルック。なんと髪を巻いて、セリーヌのスカーフにチェーンを垂らしていた。当然「アンアン」のとがったファッションとは無縁になる。

それが再び近づいたのは、コピーライターになった時である。私がとてもダサい格好（これももう死語かしらん）をしているというので、

「これでも読んで勉強しろ！」

と投げつけられたのが「アンアン」であった。

が、グラビアを見たってちんぷんかんぷん。とにかく私とはまるっきり遠い世界の話という感じであったが、少しでも近づくように努力しました。そうなると気持ちはフクザツになっていくから、人間ってイヤね。

カッコいいスタイリストとかモデルの人たちがやたら出てくるとさ、

「ふん、有名人ぶっちゃってイヤな女たち。男と遊んでそうで、キライよ、こんな人たち」

なんて思ってたっけ。

今もそうだけど、マガジンハウスの人たちっていうのはとにかく私生活でも決まってて、飲

みに行っても遠くからわかる。

「ここは『ブルータス』編集部の連中が飲みにくる」

「『アンアン』の人たちが食事するところ」

などということを売り物にしているところも多かった。

そういうのを見ると、「フン！」「フン！」「フン！」の連続よ。劣等感にこりかたまって、ひがみっぽい女って本当にイヤね。

「なんかさー、ヘンな黒い服ばっか着ちゃってどこがおしゃれなのよ」

と毒づいてたわ。

そんな私がある日、知り合いをとおして取材の依頼を受けた。

「コピーライターってどんな仕事？　っていうテーマで出てくれない」

そりゃー、嬉しかった。どういうものを着たらいいんだろうかって三日ぐらい悩んだもんだ。

その頃の私は、ちょっとカン違いしているテクノファッションといったらいいだろうか。髪はツンツン、フィオルッチの銀色のジャンパーといういでたちだった。

はっきり言って、田舎っぽいダサさから、東京のギョーカイ人のダサさへと移行していたのだ。

しかしこんな私でも「アンアン」の人たちは何かと親切にしてくれ、次々と取材がくるようになった。まあ私も処女作を出版して、多少有名人になっていた、ということもある。

そして、運命の日がやってきた。ある日、一本の電話。

「もしもし、今度さ、あなたのとこへ行く編集者は、マガジンハウスいちのハンサムなのよ。一度見ておいて損はないわよ」

背が高く、顔が濃い若い編集者がやってきた。彼は中途入社だったので、まだ二年めぐらいだったろうか。

南青山にあった私の仕事場に来て、ついでだから根津美術館の庭に遊びにいった。途中、肉屋の前を通った。

「ね、ね、ここのハムカツ、すっごくおいしいんだよ」

私が言うと、

「そうですか」

若い男はぶっきら棒に言った。

私はそこでハムカツとコロッケを買い、私の仕事場で一緒に食べた。とてもおとなしく感じのよい人だと思った私の目は、ふし穴だった。

今から十五年前のことである。その若い男は四十男となり「アンアン」の編集長になった。テツオである。

あれから十五年たつ。私の歴史は、ちょうど「アンアン」の歴史の半分だ。

私の出場回数は、女性部門ではなんとあのキョンキョンを抜いて第1位というではないか。

「アンアン」のミューズ・キャラクターともいえるキョンキョンをしのぐとは、なんとスゴいことであろうか。

オバさんになっても、「アンアン」に出て違和感のない女でありたいと願う私。

今週は三十周年にちなんで、格調高く感動的にしました。

生（なま）タッキーに遭遇！

秋元康さん監督の映画「川の流れのように」がクランクアップされ、完成試写会が開かれた。こういう華やかなところへめったに行ったことがない私。心細いのでサイモンさんと一緒に行くことにした。

「叶姉妹も来ているかもしれないね」

とサイモンさんはうきうきしている。会場の東京フォーラムの大階段には、真っ赤なじゅうたんが敷かれ（いつも敷いてあるか）、そのまわりを報道陣が囲んでいる。ああいうところを上がっていくというのは、ものすごく勇気がいることだ。芸能人だったらいざ知らず、私のようなもんはやっぱり、一般人の通る傍らのエスカレーターをそそくさと行きましょう。

さて舞台挨拶には、ジャニーズの人たちがいっぱい出てきた。中でもタッキーこと滝沢秀明

クンがいちばん目立つ。スクリーンでアップになっても、肌はすべすべ、目はきらきらと、うっとりするような美しさである。

「キレイねえ、かわいいわねえ……」

と、私とサイモンさんはささやき合った。

さて、試写会の後はパーティが待っている。招待客たちは場所を移動して、楽しいひとときを過ごすわけだ。お子さんが待っているので、パーティには出ないと言っていたサイモンさんだが、映画を見て気持ちが変わったようだ。

「やっぱり、生タッキーを見なくっちゃね」

パーティは有名人、芸能人もちらほらいたが、ほとんどが関係者のおじさんばっかりだ。よって競争率はぐんと低くなる（何のだ？）。私たちみたいなミーハーは少ないらしく、ジャニーズのコたちは、わりと所在なさげに会場の真ん中に立っているのだ。

こんな贅沢なことがあるだろうか。そのあたりはものすごく空いているのだ。けれどもいいトシをした大人が、すぐに近づいていくのはみっともない。この時の会場のことを説明すると、端の方にステージが用意され、その横にマスコミの人たちのスペースがあった。カメラマンとかレポーターの人たちが、綱を張られた中にびっしり立っている。お客はテレビカメラに映るのがイヤらしく、端の方にぴったりとくっついている状態。つまりジャニーズのいる場所はスキスキゆえに、かえって近寄っていくのはむずかしい空間となっているのだ。

が、こういうことには知恵が働く私です。結構知り合いがいたので、あの人に近づき、この人に挨拶しながら、じりじりとタッキーに近寄っていったのである。あと三メートル、あと二メートル。ついにタッキーの前に立った私。

「こんにちは」

と私は微笑んだ。

「こんにちは」

とタッキー。が、目はあきらかにとまどっている。この図々しいおばさんは誰だろうという目である。傍にいた人が、

「作家のハヤシマリコさんだよ」

と言ってくれた。しかし彼は、

「あー、そうですか」

と全く変化ない。そりゃそうだわよね。彼の年齢で、私のことなんか知っているわけないわ。でも、これにひるむような私ではなかった。えーと、頑張らなきゃ。何か共通点といおうか、手がかりをつくらなきゃ。

「ほら、『アンアン』知ってるでしょ。あれに毎週エッセイ書いてるのよ」

私は再びにっこり笑ったけど、何のききめもなかったわ。

「『アンアン』?……」

彼はけげんそうな顔をするじゃないの。後でパーティに遅れてやってきたテッオにこの話をしたところ、

「そうかあ、滝沢クン、忘れちゃったのかなー。取材してるのになあ」

とかなりがっかりしていた。たぶん「アンアン」は知っていても、この最後のページは知らないのね。こうしている間に、サイモンさんもやってきた。このチャンスを逃してはいけないと私は思い、ちょうど取材に来ていたマガジンハウスのカメラマンに頼んで写真をお願いした。サイモンさんと私がタッキーを囲む。

「すいません、撮ってください！」

この写真は大きく伸ばして、皆に自慢することにしよう。

そんな私たちに対して、

「年増の女が、みっともないことするな」

とテッオは呆れていたが、会場を見よ。おじさんたちばかりではなく、ジャニーズのコたちにもいちばんモテて、ちやほやされていたのは他ならぬ森光子さんである。桜のお着物で輝くような美しさだ。年がいっていても素敵な女性を大切にするのはジャニーズの伝統ではなかろうか。私もいつか彼らに名を知られ、ちょっぴりでいいから仲よくしてもらいたい、という野望を持った。それにしても生タッキーは綺麗だった。本当にいいもん見せてもらって、秋元さん、ありがとう。

バーキンの恨みVSフグの恨み

北川悦吏子さんとサイモンさんの三人で、夕ごはんを食べることになった。三人とも忙しいのでこうして会うのは久しぶりだ。二人ともお金持ちのくせに、今年まだフグを食べていないという。それで私のよく知っている比較的安いフグ屋さんに行くことになった。もちろん割り勘です。

キャッキャッとはしゃぎながら、フグの刺身をつつく私たち。「ビューティフル ライフ」が絶好調の北川さんに、私とサイモンさんはいろいろとねだる。

「ねえー、私たちのこと、キムタクに髪を切ってもらう美容院の客ってことで、特別出演させてもらえないかしらねえ」

ちなみに北川さんは、私とサイモンさんを見て、世の中の人っていうのはこういう風にミー

ハーなのかといつも感慨にうたれるそうだ。とはいうものの、親切な北川さんはその場で笑ってごまかしたりはしない。

「うーん、残念だけど、あと最終回一カットだけで終わっちゃうのよ。残念だったわねー」

「じゃー、ロケなんか見に行きたいわっ」

と私。

「私だけで行くと、『そこの通行人、邪魔、邪魔、どいて』っていうことになるけど、脚本家の北川先生と一緒だったら奥の方へどうぞ、っていうことになるんでしょう。キムタクやトキワちゃんとも会えるかもしれない」

実は私、キムタクの勤める美容院がどこにあるかも、ちゃんとわかっているのだ。それは表参道のまん中あたりにあるファッションビルの一階である。いつもはタオルショップになっているのだが、ロケの時は美容院の入口らしく変えるらしい。どうして私がこうしたことまで知っているかというと、昨年まで原宿に住んでいたからである。ああ、十五年間住み慣れた原宿はよいところだったとつくづく思う。テレビや雑誌の撮影がしょっちゅう行われていて、目を楽しませてくれた。買い物は近くに穏田商店街があり、ちょっと足を延ばせば紀ノ国屋スーパーマーケット。今日の対談に着ていく服がない時は、「ザ・ギンザ」に飛び込めばたいていのものは揃った。エステや美容院にも歩いていけたし、気に入りのカフェやレストランもいっぱいあった。

ちょっと離れた街に引っ越したのであるが、ここは静かな住宅地で駅の方へ行けばしゃれた店がちらほらあるものの、とても原宿とは比較にならない。原宿からだと麻布や六本木へはタクシーでひとっとびであるが、私の住んでいるところからは電車を使うことになる。時間もかかって、あちこち行くのにかなり億劫になってきたのである。

だけど目の前にいるサイモンさんを見よ。あんなにお金持ちで、都会派の作品を書く彼女であるが、練馬区石神井に住んでいるではないか。しかもあそこが大好きで、引っ越す気などないらしい。私はちょっと意地悪な気持ちが起こり、おいしそうにフグの唐揚げを食べているサイモンさんに尋ねてみた。

「ねえ、石神井にフグ屋さんってある?」

「ないわよ、そんなもん」

サイモンさんはきっぱりと言った。

「だけどね、フリーマーケットはいっぱいあるわよ。私と仲のいい奥さんが最近、店を開いたんだけど、私の十年前のスーツやジャケットがもの凄い人気で、すっかり嬉しくなっちゃったわ」

十年前のものでも、一万円くらいで売れると聞いてびっくりした。私は服の処理に困り、友人の姉妹、あるいは、彼女の知人とかいう会ったこともない人たちに貰っていってもらう。

「そんなのもったいないよ。少しでも、お金になるよ。まとめて出せば、新しいジャケット一枚ぐらいになるんだからさぁ。今度私のところへ、宅配便で送ってよ」

「いいな、いいな。私もそうしてもらおう」

と北川さん。北川さんも洋服をどうしていいのか、わからないんだそうだ。

私は二人にこんな話をした。このあいだの日曜日の午後、テツオがふらりと遊びにやってきた。実は彼と私のうちは、とても近い距離にあるのだ。歩いてもこられるぐらい。

「約束のもんを、渡してもらおうじゃん」

実は「アンアン」三十周年記念の「誌上チャリティ」に出した私のバーキンは大反響であった。憶えていると思うが、このあいだやはり誌上バザールで、エルメスの別のバッグを供出させられたばかりである。どれもパリの本店で買ったレアものなのに、二束三文で売らなくてはならないこのつらさ。しかも今度はチャリティなので、売れたお金は全部どこかに寄付される。私のところには一銭も入ってこない。

「バーキンは、これからも使えそうだからイヤ」

と私が言ったら、

「あんたも、往生際が悪いねー」

とテツオが凄み、傍にいた夫も、

「テツオさんにはいつもお世話になっているんだから恩返ししなさい」

などと口添えするもんだから、私は泣く泣くバーキン（あんまり使わない茶色）を渡したのである……。

「ふぅーん、かわいそうねぇ……」

サイモンさんと北川さんが言った。私も何だか腹が立ってきた。それで「近いから、フグの雑炊の頃には参加したい。TELくれ」というテツオを無視することにした。私はバーキンの恨み、テツオは私に対してフグの恨み（『モテる女は躊躇しない』の回参照）がある。これでおあいこ……のはずないか！

マイ・トップ・シークレット

初夏に向けて、ダイエットがうまくいき始めている。何だかコワいぐらいに痩せてきた私である。

が、ここで読者の方々はこう言うのではないだろうか。アンタのセリフ、もう四、五回は聞いたわよ。自分でコワいぐらい痩せたとか言うけどさ、すぐにリバウンドするんじゃないの。アンタって、夏が近づけばそれなりに頑張るけど、秋になると元に戻っちゃうじゃないの。

確かに今までの私はそうだった。が、今回私は画期的なことを始めたのである。それは今までのダイエットで、なかったことだ。

それはなにか。お金を遣って人の手を借りる、ということである。先日、親しい男友だちから電話がかかってきた。彼も、もの凄くダイエットで苦労している人である。

「ハヤシさん、僕らでも絶対に痩せられる、究極の方法が見つかったんだ！」

それは簡単な体操と、徹底した食事療法だという。

「だけど肉や油分はとることが出来るから、そんなにきつくないよ。トンカツだってご飯を食べなきゃＯＫ」

そして週に一度、先生がやってきて体重チェックと一週間分の食事の管理をしてくれるという。

「個人レッスンは〇万円かかるけど、ちゃんと痩せるから安いもんだよ」

彼はなんと二週間で五キロも痩せ、体質もすっかり変わったというのだ。

「ハヤシさんの分も頼んどいてあげたよ」

と親切だ。が、私はここでちょっと迷った。その金額がわりと高くて、

「こんな大金出しても、痩せなきゃいけないのか」

という素朴な疑問が頭をもたげたのである。痩せるなんて、ご飯を食べなきゃいいんでしょ。お金を遣わずにビンボーやってれば、痩せるわよ……。が、私は思う。そうやって自分は、痩せたことがあるんだろうか。

よし、今までの考えは全部捨てよう。根性なしは、お金と人の手を遣って痩せるしかない。この真実をちゃんと噛みしめなければいけないのだ。

が、私にはもうひとつ乗り越えなくてはいけない壁がある。そお、私の体重を他人に知られてしまうことね。私のウエイトというのは誰も知らない。トップ・シークレットになっていて、

夫だって知らないわ。このあいだ話していて、

「まさか、オレよりはないよなー」

と笑って聞かれたが、とっさにうつむいてしまった私。

「ええー、あんのかよー!?」

あの時の夫の顔は、かなりマジに恐怖でゆがんでいた。もしかして体重を知られれば、離婚されちゃうかもしれない。そう、夫も知らない体重を、他人に知られたくないわ。もしかすると言いふらされるんじゃないかしら。

が、怪しげなエステティックサロンや、ダイエット教室と違って、その先生のところはちゃんとしているところだ。

「VIPも多いから、ちゃんと秘密は守ってくれるよ」

と友人は言った。そして私は、週に一回先生に家に来ていただき、指導をしてもらうことになったのだ。体操も教えてもらう。最初は私の体の固さにびっくりして、

「本当にそこまでしか曲がらないの？」

と聞かれたが、あちらも慣れたみたいだ。私の一生懸命さが伝わったのであろうか。

そしてクライマックス、体重計に乗る。先生と助手の人の前で、体重計に乗る緊張感といったらない。これがものすごく効くみたいだ。

「叱られちゃいけないと思って、言われたことは全部実行するしさ、やっぱり人に見てもらう

っていうのが、今回の鍵だったかもね」

とテッオに言ったところ、

「そお、叱られる、っていうのはあんたの大切なキーポイントだよ」

とテツオが言う。なるほど私は気が弱く、マゾっ気がある。わりと人に従うことが出来るタイプである。今回はこれがいいように出たようだ。

さて、痩せ始めて嬉しい悩みがある。それは洋服がまるっきり合わなくなった、ということだ。実はこの私、ダイエットを始める前日に、お店でまとめ買いをしてしまったのである。その中にはパンツ二枚とジーンズも含まれている。バカだったわ、自分で自分が信じられなかったのね……。

テツオの電話は続く。

「あのさ、あんたが最近お気に入りのジル・サンダー、今度どこかに吸収されちゃうっていう噂があるんだよ」

「そうなのよ、これから私、何、着たらいいと思う？　グッチかな、プラダかな。いっそのことゴージャス路線で、アルマーニかシャネルにしようかしら」

こんなエラそうな相談が出来るのも、痩せたせいよね。しかし彼は、

「『ギンザ』でも読んで、自分で研究したら」

と冷たく言った。

ただ今、美人菌、培養中！

テツオは、私によくこう言う。

「ブスは伝染るけど、美人も伝染るからな。気をつけなきゃ駄目だよ」

「ブスは伝染るけど、美人も伝染るからな。気をつけなきゃ駄目だよ」

つき合う人に気をつけろ、ということらしい。が、このかね合いはなかなかむずかしい。なぜなら庶民レベルの女が、すっごい美女と一緒にいると結構世間の目は冷たい。美女の方には、

「自分より落ちる女を、家来に従えているんだな」

という視線があるし、落ちる女の方は、

「卑屈でイヤな女だ」

ということになってしまう。

ところで最近私は、評判の美女ヨーコさんと仲よしになった。一緒にお稽古ごとをしている

ので毎日といっていいぐらい会っている。

この時は、着るものにものすごく気合いが入る。

仲のいい女友だちと会うというと、もちろんカジュアルなのであるが、ちょっとおしゃれで今年の味つけがしてなくては困る。私は居職（つまり家で仕事をしていることね）の女なので、普段着にはかなり手を抜いていたといってもよい。外に着ていくスーツとジャケットといったものにはうんとお金をかけ、どっさり持っているが、カジュアルはチープなことが多い。

ヨーコさんは私に言った。

「女がもらいもののTシャツを着ちゃ、いけないわ」

「あら、そうかしら」

とドキリ。私はよそいきのTシャツは、白いプレーンで上質のものを着るけれど、家にいる時はいつももらいもんプレミアムTシャツ。胸に出版社の名前が入ったものも平気で着る。ヨーコさんは言った。

「私はいつも夏になると、一万五千円から二万円ぐらいのTシャツを三、四枚買うの。そしてそれは必ずクリーニングに出すわ。そうしたら、いつもぴしっとしたのを着られるじゃないの」

「うへー、Tシャツをクリーニングに出すなんて」

と驚いたのであるが、考えてみると私も結構高いTシャツは買っている。が、それがすぐによれよれになるのは、うちの洗濯機でまわすからであろう。ワンシーズンだけクリーニングに出し、最高の状態で高いTシャツを着るというのは必要なことかもしれない。

「次のシーズンが来たら、うちで洗ったりもするの。だけど新しいうちは大切に扱ってやらなくっちゃ」

彼女のアドバイスに従って、Tシャツをクリーニングに出したところ、いつでも新品の状態で着られる。気持ちがいいったらありゃしない。

そのうちヨーコさんは、私のバッグに我慢出来ないと言い出した。私はお料理教室で使うタッパーを入れる、大きめのトートバッグを持ち歩いている。緑色のちょっとヤングミセス風のものね。彼女はそれを見るととてもイヤな気分になるそうだ。このあいだ二人で買い物に行った時、ヨーコさんはジル・サンダーの黒いトートを私の前に置いた。

「今日からこれに替えてちょうだいね」（もちろん、私が払いましたけど）

それだけ、ではない。ヨーコさんの服のサイズは36で、これなら何だって着られる。私は試着室の前で彼女を見るたび、絶対にダイエットを続けるのだと心に誓うのである。

自分で言うのもナンだけど、この頃の私は確かに変わったと思う。うちにいる時も汚い格好やおばさんっぽいものは絶対に着ない。パンツに明るい色のカーディガン、Tシャツ（これはうちで洗う）といういでたちである。これまでだったら、古い型のパンツでも、買った時に高かったという理由で着たりしていたが、もうそういうことはしない。ちゃんとお化粧もする。ごく少量ではあるが、美人の菌が私にも付着したような気がするの。これからは頑張ってこの菌を培養させなきゃね。私はそのためにも恋という栄養はとても必要だと思う。そーよ、そーよ、美人によって付着した菌は、男の視線によってどんどん繁殖していくのよ。

最近私が週に一回、専門の先生に来てもらってダイエットしていることは既にお話ししたと思う。今のところ体重はそんなに減らないが、体型はどんどん変わっている。このあいだ買ったパンツがゆるくなってきたのだ。私はそんなに多くのことは望んではいない。ただこちらを熱っぽく見てくれる男性がひとり欲しいだけなのである。

ちなみにヨーコさんは二年前に結婚した（再婚か）。私が彼女くらい美人でモテまくっていたら、結婚なんかしないで男の人にちやほやしてもらいたいと思う。ダンナの夕食をつくる代わりに、いろんな男の人とめくるめくような恋をするのよ。

が、ヨーコさんは言う。

「ひとりの人と愛し愛されて、うちの中で恋愛するって最高にステキなことじゃないの」

私はその気持ちがよくわからないわい。ただ「痩せたい、キレイになりたい、モテたい」と、この三つのことしか考えていないのである。

ま、そんなことはどうでもいいの。以前ほど美女といても、そう緊張したり、ドキドキしなくなった。さりげなく泰然と人と接し、イヤな男にはちょっと意地悪をする。こんな美女のふるまいが、私にも、ちっと出来るようになったのかしら。そーよ、雰囲気だけは確かに摑んだのよ。

新進料理研究家デビュー

今日久しぶりにテツオに会ったら、

「すっげえ痩せたじゃん」

と驚いていた。あの口の悪い男でさえ、私の頑張りぶりには驚いたのである。

この三ヶ月間、私はフランス料理を習うということとダイエットとを同時進行させていたのだ。我ながら本当にえらいと思う。

コルドン・ブルー日本校では、フランス人のシェフが三品つくってくれ、それを試食する。次の日にその中のメインの料理を、自分で調理するというシステムだ。

「ソースを注意深く味わいながら、同じ味に近づくように考えなさい」

とシェフは言う。だから私は食べる。が、デザートには絶対に手をつけなかった。おいしそ

うなタルトタタンや、ムースが目の前に出されても他のコにあげた。これを一ヶ月続けたら体重はそんなに落ちなかったが、体操のせいでパンツの太もものあたりがすごくゆるくなった。顔もほっそりしてきた。すごく嬉しい。やはり私のような性格の者は、他人に監視され、叱れるという方法が効くようである。

さて私はダイエットにもハマったが、料理にも完璧にハマった。私は料理を習おうと思った時、まず考えたことがあった。それはお総菜がどうのこうの、とかいうビンボーたらしいのはイヤッということである。そんなのはさんざんうちでつくっている。私が望むのはゴージャス路線よ。そお、料理の叶姉妹。夫を驚かせ、友人たちの目をむく非日常的料理だ。だから私はかの映画「麗しのサブリナ」において、オードリー・ヘプバーンが習いに行ったパリの名門校を選んだのだ。

ここでつくったものは確かに非日常的料理であった。ブランケット・ド・ヴォー、アシエンヌ風、ピラフ添えとか、仔羊のナヴァラン、プランタニエ風とか、平目のフィレとか舌を嚙みそうなものばかり。こういうものはものすごく手間暇かかる。やっとソースが出来上がったと思うと、パッセ（濾すことね）してさらになめらかにするとか、鍋と時間をやたら使う。大雑把の私は最初の頃、頭がおかしくなりそうだった。なぜなら食器洗いが大嫌いな私なのに、流し台の中に信じられないほどボールや鍋がたまっていくんだもの。

が、人間やればやれるもんです。この頃の私は、肉をオーブンに入れている間に、ささっと洗い物をするようになったのだ。

さて、私のフランス料理修業、お披露目の日がやってきた。うちで十数人招いてパーティをすることになったのだ。私はキッシュとローストビーフを焼くことにした。スーパーへ行き、ランプ肉を二キロ買ってくる。二キロというとずっしりと重い。それを調理台の上に拡げ、私はしみじみと感慨にふけった。

私はこの二週間で二キロ痩せている。たった二キロと思ったけれど、こうして肉にしてみればすごい量じゃないか。ものすごいかさ高さじゃないか。これだけの肉が私の体から消えていくって、やっぱり偉業としかいいようがない。

さて、この肉を焼いた後、ニンジン、玉ネギ、セロリを四角く切ってハーブと一緒に炒める。これはミルポワといって肉に風味をつける作業ね。これと肉をオーブンに入れ、あとは煮汁を野菜にからませおいしいソースをつくるわけだ。

その合い間にキッシュをつくる。小麦粉とバター、玉子をこねて生地をつくっていく。今までキッシュというと、冷凍のパイ生地を使っていたけど、もうあんな手抜きはしないわ。このやり方は簡単で、キッシュのおいしさがまるっきり違うのだ。

キッシュの縁だって、ちゃんと道具を使う。二百円で売ってるピンセットのようなものではさめば、ちゃんと飾りの縁が出来る。ベーコンにチーズ、玉子と生クリームを混ぜたものを流し込み、オーブンで二十五分。とてもよいにおいがしてくる。ホントにおいしい。

友人たちは、

「わー、プロみたい」

と感動していた。が、それよりももっと皆をびっくりさせたのは、オーブンからローストビーフを出した時ね。

「自分のうちでこんなものを焼くなんて!」

と絶賛の嵐だったわ。そうそう、油っこいもんだけじゃナンだと思って、この他にもいろいろ用意してある。中でも自信作はベトナム風生エビのサラダだ。これはマガジンハウスに寄った時貰ってきた、「タイとベトナムのごはん」(平松洋子監修)の一品。生のエビを用意し、それにベトナム風のソースをかける。私は以前からヌクマムが大好きなのだが、これはそれにレモン汁とミントの葉を刻んだものを入れる。口の中がさわやかになる一品だ。

これも大変な好評であった。

そーよ、私はダイエットとショッピングだけにうつつを抜かしているのではない。こういう風に人を喜ばせるのも大好きなんだ。

「聡明な女は料理がうまい」という本が昔あったけれど、やっぱりさー、いい女と言われるからには、料理ぐらいこなさないとねー。今度わが家で着席式の本格的フルコースディナーをすることになっている。その時のテーブルセッティングも見せようじゃないか。今度の「アンアン」の「料理特集」には、新進料理研究家として出してもらうべく、テツオに頼んでおこう。

恋は弱肉強食

ブスは伝染るけど美人も伝染る。だから出来るだけ美人といるように、と言ったのはテツオである。素直な私はテツオの教えを守り、美人の友人とばかりいるようにした。けれどもこれは結構つらいことであった。なぜなら引き立て役となり、完璧に男の人から無視される。

私はよおくわかったのであるが、美人というのはたいてい屈託がない。はつらつとしている。何をしてもサマになってカッコいいのだ。たとえば外国人の男の人たちを交えてお食事をしたとする。私の友人の美女は、冬でもノースリーブのドレスを着ている。ジャケットを着て体型を隠そうとする私とは対照的だ。そしてちょっと酔っぱらってだんだん可愛くなる。

「こんな大きさなのよ」

とか言って、手を丸くして大きく上げる。腋の下が丸見えになるけど、もちろん綺麗になっていてとってもエロティック。男の人たちの視線はすべて彼女に集まる。そして別れぎわに「キスして」という風に、彼女はほっぺたを男の人の方に向ける。外国人たちはもちろん大喜びで彼女の頬にキスする。握手もやっとの私とは全然違うわよね。

テツオは最近こんなことを言う。

「あんたみたいなトラウマの強い人は、やっぱり美人とつき合わない方がいいんじゃないの」

だって。なんてひどい奴であろうか。

が、私とて努力している。ダイエットに成功しつつあることは既にお話ししたと思う。週に一度先生がやってきて、体重を測り一週間食べたものをチェックして、体を引き締める体操をする。これによって七キロ近く減ったのであるが、人はもっと痩せたと口々に言う。体操のせいで、ウエストのあたりがすっきりしたせいだ。おかげで冬から春にかけて買ったものがすべてだぶだぶになってしまった。人間の感覚というのはすごいもので、久しぶりに行ったお店では担当の人が昔のサイズを出してきてくれる。すると目が「違う！」と拒否してしまうのだ。

「私がどうしてこんな大きなものを着るのよ」

確かに袖をとおすと余ってしまう。今までこのサイズのスカートをはいていたなんて信じられないような気分。

痩せて何が変わったかというと、普段の格好がすごくおしゃれになったということですね。

今までうちにいる時、毛玉のついたセーターに猫毛だらけのスカート、しかもウエストがきついのでジッパーを半分はずして着るなんていうことはざらであった。うちの夫でさえ、

「家にいる時、もうちょっとまともな格好が出来ないのか」

と小言をいう始末。とにかくらくちんなものを選んで着ていたのだ。けど痩せた今は違うわ。可愛いニットに、ジル・サンダーのジーンズかパンツを組み合わせている。昔買っておいたブランド品も、おうちの中のお洋服に総動員させている。そうよね、ニットなんていくら高くたって所詮はニット、おうちの中で楽しく着なくっちゃね。


このあいだは友人の誕生パーティがあった。ホテルで行われた盛大なパーティで、

「ステキな男の人がいっぱい来るから、うんとおしゃれをしてきてね」

と友人から電話が入った。まあそれなりの格好をして出かけたのだが、あまり痩せていたので皆はびっくりしたみたいだ。

「すっごくキレイになったわね」

と人々は誉めてくれるけれども、やっぱり空しくなる私なの。なぜならその日の朝、このあいだは楽しかったね、という手紙と共に別のパーティのスナップ写真が入っていた。そこには美人の友人たちと写っている私がいる。なんか女の格がまるで違うという感じ。


私なんか所詮頑張ってもこのレベルなのね……と、肩を落としたばかりなのだ。

テツオはさらにアドバイスしてくれる。

「美人とつき合って二つ三つ、なんかポイントを盗んだら、後はさっと引き揚げてくるのが賢明だぞ」

だけど私は彼女のことが好きだし、これからも友だちでいたいの。いじいじ、いじ……。

さてつい最近のことであるが、私は某有名男性と対談をした。私はこの人とたまにグループ交際をしているのだが、一対一で会ったことがない。しかし彼こそは私の中の「抱かれたい男」「再婚したい男」同時ナンバー1受賞者なのである。

「今度イタリアンでも二人で食べたいな」

と私が言ったら、彼もいいよと快諾してくれ約束が出来上がった。が、その場にイヤな女が同席していた。大助花子の花子そっくりな魔性の女、編集者のナカセである。彼女もこの男性に憧れていて、自分の担当でもないのに同席していたのだ。彼女の恨めしそうな視線に負け、私は力なく言った。

「あなたも来てもいいわよ……。もうこうなったら仕方ないわ……」

「ハヤシさん、一生恩に着ます」

彼女は目をうるませんばかりだ。

「でもハヤシさん、私だから誘ってくれたんでしょう。Hさん（日本一の美人編集者）だったら絶対に誘いませんよね」

そのとおりだけど、私も結構他の人を傷つけているのだとちょっと反省した。

この本は『anan』（1998.11.6号〜2000.5.5•12合併号）
に掲載された「美女入門」から抜粋、加筆修正して
まとめました。

林　真理子（はやし・まりこ）
1954年山梨県生まれ。コピーライターを経て、作家活動を始め、82年『ルンルンを買っておうちに帰ろう』がベストセラーになる。以降、86年「最終便に間に合えば」「京都まで」で直木賞、95年『白蓮れんれん』で柴田錬三郎賞、98年『みんなの秘密』で吉川英治文学賞をそれぞれ受賞。主な著書に『女文士』『不機嫌な果実』『強運な女になる』『コスメティック』『ロストワールド』『死ぬほど好き』『花探し』などがある。

美女入門（びじょにゅうもん）PART2

二〇〇〇年七月一九日　第一刷発行
　　　　八月　七日　第二刷発行

著者――林　真理子
発行者――細川　泉
発行所――株式会社マガジンハウス
東京都中央区銀座三‐一三‐一〇　〒一〇四‐八〇〇三
電話　販売部　〇三（三五四五）七一三〇
　　　編集部　〇三（三五四五）七〇三〇
印刷所
製本所――凸版印刷株式会社
装幀――鈴木成一デザイン室

ISBN4-8387-1247-2 C0095